黑骏马

[英]安娜·休厄尔 著

马爱农 译

图书在版编目（CIP）数据

黑骏马/（英）休厄尔著；马爱农译.—北京：北京联合出版公司，2016.6
（企鹅手绣经典系列）（2017.1 重印）
ISBN 978-7-5502-7553-9

Ⅰ.①黑… Ⅱ.①休… ②马… Ⅲ.①儿童文学－长篇小说－英国－近代
Ⅳ.①I561.84

中国版本图书馆CIP数据核字(2016)第078560号

First published in Great Britain by Jarrold & Sons, 1877
This edition first published in the United States of America in the English language by Penguin Books 2011
Cover Art Jillian Tamaki
Simplified Chinese edition 2016 by United Sky (Beijing) New Media Co., Ltd.
All rights reserved.

"企鹅"及其相关标识是企鹅图书有限公司已经注册或尚未注册的商标。
未经允许，不得擅用。
封底凡无企鹅防伪标识者均属未经授权之非法版本。

企鹅手绣经典系列：黑骏马

作　者：〔英〕安娜·休厄尔
译　者：马爱农
出 品 人：唐学雷
选题策划：联合天际
特约编辑：郝　佳　刘　畅
责任编辑：崔保华　刘　凯
装帧设计：索　迪
版式设计：张佩瑶

北京联合出版公司出版
（北京市西城区德外大街83号楼9层　100088）
北京联合天畅发行公司发行
北京鹏润伟业印刷有限公司印刷　新华书店经销
字数150千字　889毫米×1194毫米 1/32　6.5印张
2016年9月第1版　2017年1月第2次印刷
ISBN 978-7-5502-7553-9
定价：58.00元

联合天际Club
官方直销平台

未经许可，不得以任何方式复制或抄袭本书部分或全部内容
版权所有，侵权必究
本书若有质量问题，请与本公司图书销售中心联系调换
电话：(010) 82060201

目 录

译　　序　扎根现实的童话世界 …………………… 1

第一卷

第 1 章　我早先的家 ……………………………　3
第 2 章　打猎 ……………………………………　6
第 3 章　调教 ……………………………………　9
第 4 章　波特维庄园 …………………………… 13
第 5 章　好的开始 ……………………………… 16
第 6 章　自由 …………………………………… 20
第 7 章　生姜 …………………………………… 22
第 8 章　生姜的故事（续）…………………… 26
第 9 章　欢蹄 …………………………………… 30
第 10 章　果园里的谈话 ……………………… 33

第11章	直言不讳	39
第12章	暴风雨的一天	42
第13章	魔鬼的标记	46
第14章	詹姆斯·霍华德	49
第15章	老马夫	52
第16章	大火	55
第17章	约翰·曼利的谈话	59
第18章	请医生	63
第19章	只是无知	67
第20章	乔·格林	70
第21章	分别	73

第二卷

第22章	伯爵府	79
第23章	争取自由	83
第24章	安妮小姐，一匹脱缰的马	86
第25章	鲁本·史密斯	92
第26章	结局	95

第 27 章	走下坡路	98
第 28 章	包租的马和赶车人	101
第 29 章	伦敦佬	105
第 30 章	小偷	111
第 31 章	骗子	114

第三卷

第 32 章	马市	119
第 33 章	一匹伦敦出租马	123
第 34 章	老战马	127
第 35 章	杰瑞·巴克	132
第 36 章	星期天出租马车	138
第 37 章	为人准则	143
第 38 章	多丽与一位真正的绅士	147
第 39 章	邂逅鬼山姆	151
第 40 章	可怜的生姜	155
第 41 章	肉铺老板	158
第 42 章	选举	161

第 43 章　患难朋友 163
第 44 章　老队长和他的接替者 167
第 45 章　杰瑞的新年 171

第四卷

第 46 章　贾克斯和女士 179
第 47 章　艰难岁月 183
第 48 章　庄园主萨洛古德和他的孙子威利 187
第 49 章　我最后的家 191

译序　扎根现实的童话世界

摆在亲爱的读者面前的这部书，可有些年份了，它是19世纪70年代英国女作家安娜·休厄尔（1820—1878）的作品。这位才华横溢的女作家只活了五十八岁，晚年长期卧病在床，但她生命不息，笔耕不辍，花了大约八年时间写了这部题为《黑骏马》的小说。小说的主人公是一匹名为黑骊的骏马，通体黑亮，黑骊的传奇经历构成了小说的题材。作品问世后产生了极为广泛而深远的影响，它在西方可以说是世代相传，享有盛名，是颇具代表性和权威性的英语儿童文学名著。它曾被翻译成多种文字在世界各地出版，深受英语学习者的欢迎。现在把它译成中文，我相信，它不仅会为我国少年儿童读者所喜爱，而且也会成为小读者的父母和长辈们——我们亲爱的中青年乃至老年读者朋友的所爱，因为它确确实实是一部雅俗共赏、老少咸宜的好书。

这部书好，好就好在它突出了人类和自然界的和谐相处。它的主人公是黑骊，但笔墨所及，又远不止一匹黑骊，这里还有黑骊的朋友生姜、欢蹄、战马"队长"等，它们的经历和心理活动丰富了小说的内涵。与此同时，小说又刻画了众多的驾驭马匹的人，这里有约翰·曼利、詹姆斯·霍华德、乔·格林、杰瑞·巴克等，他们同所养的马和谐相处，结下了深厚的友谊。他们并不需要使用暴力，甚至不用短缰绳、马嚼子、眼罩之类就能使马充分发挥其积极性，愉快胜任，甚至在危急关头拯救主人。一个突出的例子是暴风雨中黑骊拒绝过桥，因为它的直觉告诉它，木桥中间已经折断，如果执意前行，将会招致车毁和人马俱亡的严重后果。同这种和谐关系形成鲜明对照的则是那些虐待马匹、不顾牲口死活的人们。他们无知、残暴，乃至把活的马当成死的机械来使。黑骊就碰到过这样的人。它的蹄掌脱落，喝醉了酒的车夫却茫无所知，以致锋利的石头把马蹄硌得血肉模糊，摔倒后膝盖和脚受了重伤，落下终生残疾。还有一次是石子扎进了它的前蹄，驭马人毫无察觉，还责怪它是一匹瘸马，责怪它偷奸耍滑。驭马人约翰·曼利说得好："人应该珍视他们的动物，并与动物交朋友，可是他们连一半都没有做到。"当小马夫乔·格林挺身而出干预虐待牲口的现象时，约翰赞扬说："对于残忍和压迫的行为，每个人看见了都有责任去干涉。你做得对，孩子。"当然，这种态度不仅适用于对待人与动物的关系，更适用于对待人与人的关系。当詹姆斯问约翰"你不同意那句老话'每个人都只关心自己的利益'啰"时，约翰回答："不，那是一句自私、野蛮的老话，不管是谁说的。如果有人认为他只需要考虑自己的利益，那他大概要像小猫小狗那样淹死了才会把眼睛睁开。"这话说得何等好啊！我们要建立人与自然的和谐关系，建立人与人的和谐关系，难道不可以从这里得到某种启发吗？

　　这部书好，好就好在它体现了童话世界与现实世界的水乳交融。小说里描绘的是一个童话世界，这里的马都像人一样有自己的心理活动，相互之间能够对话，它们也能听懂人们的谈话，只是不能同人对话而已,因而自称为"哑巴牲口"。于是我们从动物的视角看到了马的经历和内心,看到了人的言行和品格。这里不仅有人的一般活动,甚至有当时西方国家的选举活动。那可真是花样繁多,热闹非凡。且看作品主人公黑骊眼中的选举:"街上很拥挤,马车上漆着候选人的颜色,在人群中横冲直撞,似乎完全不把人的生命和安全当回事儿。那天我们看见有两个人被撞倒,其中一个是女人。那阵子马算是倒了大霉,可怜的牲口!可是乘车的投票者根本不考虑这个。他们许多人都喝得半醉,看到自己人就从马车的窗户里大呼小叫。这是我见过的第一次选举,我再也不想见到第二次。"这里说的"漆着候选人的颜色",是指代表所属党派的颜色。于是我们从黑骊的耳中听到了杰瑞·巴克父子对选举的议论,杰瑞说:"儿子,自由不是从颜色中来的,颜色只代表党派,你从颜色里能得到的自由,只是花别人的钱买醉的自由,坐一辆肮脏破烂的出租马车去投票的自由,咒骂跟你不同颜色的人、为你一知半解的事情声嘶力竭叫嚷的自由——那就是你的自由。"这样的描写对于被某些人吹得天花乱坠的西方选举可以说是刻画得入木三分。在作者的笔下,社会的贫富悬殊同马匹的悲惨遭遇相互交织。于是我们在马匹拍卖会上听到了作品主人公黑骊的内心独白:"贫穷和苦日子似乎使有些人的心肠也变硬了,但也有些人我愿意用我最后一点力气为他们效力,他们没有钱,衣衫褴褛,但是心地善良,有人性,他们的声音一听就值得信赖。"这些富于社会内涵的描写读来一点也不生硬,因为它们并非某种外加的说教,而是融化在小说中那个地地道道的童话世界里面的。

  这部书好,好就好在它达到了细致入微的观察力与生动活泼的语言表现力的完美统一。小说描写的是马,是马的喜怒哀乐和马所饱尝的人间的酸甜苦辣。在某些人看来，这些都是毫无对证的，尽可以专靠想象，任意挥写，凭空编撰，信口胡诌，但是这部小说的作者却不是这样。她对马的生活和习性可以说是知之甚深，了如指掌，这没有敏锐的观察和长期的积累是很难办到的。加之书中马的生活和习性又是以人的活动和品格为背景表现出来的，因而没有对社会生活的亲身体验和实际观察也是很难办到的。我们从书中一方面看到了作者纵横驰骋的丰富的想象能力，一方面又看到了她一丝不苟的严谨的生活信念和创作态度，这是值得称道的。作品的语言生动活泼，并无生僻晦涩之弊，完全是经过提炼的富于生命力的口语。很多人借助本书来学习英语，这恐怕不是偶然的。从认真细致的体察中得来的生活材料，通过活在人们嘴上的语言表达出来，这就达到了出神入化的艺术境界——我想这也许就是这部作品在世界文坛上，特别是儿童文学领域里青春永驻的奥秘所在。

Volume One

第 一 卷

第1章　我早先的家

记忆中我待过的第一个地方，是一大片美丽宜人的牧场，中间有一个清澈的池塘。池塘边绿树成荫，池塘那头长着灯芯草和睡莲。从一边的篱笆望过去，是一片耕作过的土地，从另一边的篱笆望过去，是主人家的大门，就位于路边。牧场顶上是一片冷杉树林，尽头是一条潺潺的小河，河岸陡峭。

小时候我不会吃草，就吃妈妈的奶。白天我在妈妈身边撒欢，晚上跟妈妈偎依在一起。天热了，我们站在池塘边的树荫里；天冷了，小树林边有一个温暖舒适的小棚子。

我长大一点，会吃草了，妈妈就白天出去干活，晚上回来。

牧场上除了我，还有六匹小马驹，都比我大，有的都快赶上成熟的大马了。我总是跟着他们跑来跑去，玩得很开心。我们经常一起绕着场子一圈圈地跑，直到跑得筋疲力尽。有时我们玩得很粗野，不光会跑，还经常又咬又踢。

有一天，大家又在一起踢得厉害，妈妈嘶叫一声，把我唤到身边，说："我希望你注意听我对你说的话。住在这里的这些小马驹都是好马，但他们是干粗活的马，当然就没有什么教养。你呢，出身高贵，血统纯正，你爸爸在当地很有名气，你爷爷在纽马克特①赛马会上两次夺冠，你奶奶的脾气是再温柔不过的，我想你也从没见过我踢人或咬人吧。我希望你将来温和善良，永远不要学坏。干活时怀着善意的心，奔跑时高高抬起蹄子，即使玩耍时也不要咬人或踢人。"

我始终没有忘记妈妈的劝告，我知道妈妈是一匹很有智慧的老马，主人也很看重她。妈妈名叫女公爵，主人却经常唤她"宝贝儿"。

主人是个温和、善良的人。他让我们吃得好，住得好，对我们说话非常亲切，就像对他自己的小孩子说话一样。我们都很喜欢他，妈妈更是从心里爱他。妈妈一看见主人走到门口，就高兴地嘶鸣，快步向他跑去。主人总是拍拍她，抚摸她，说："嘿，老宝贝儿，你的小黑子怎么样啊？"我是一匹深黑色的马，所以他管我叫"黑子"。然后会给我一片面包，好吃极了，有时他会给妈妈带一根胡萝卜。所有的马都围到主人身边，但我认为他最喜欢我们。妈妈总是拉一辆轻便两轮马车带主人到镇上赶集。

有个干活的小伙子叫狄克，有时到我们牧场来摘篱笆上的黑刺莓浆果。他吃够了浆果，就捉弄小马驹取乐，朝他们扔石子儿，用棍子捅他们，逼他们跑。我们对他倒不大在意，因为我们一下子就跑得很远，但有时一颗石子儿会把我们砸伤。

一天，他又在玩这套把戏，却不知道主人就在旁边的牧场上注视着这一切。主人忽地一下越过篱笆，一把揪住狄克的胳膊，狠狠扇了他一记耳光，狄克又惊又疼地号叫起来。我们看见主人来了，都跑过去看个究竟。

---

① 纽马克特：英国英格兰东南部城镇，著名的赛马中心。

"坏小子！"主人说，"坏小子！追马驹。这不是第一次，也不是第二次，但必须是最后一次。给——拿上工钱回家吧。我不要你在我农场上干活了。"后来我们再也没有见过狄克。照料马匹的丹尼尔老汉也和主人一样温和，所以我们过得很舒心。

第 2 章　打猎

　　两岁不到，发生了一件我一辈子忘不了的事。早春时节，夜里降了点霜，树林和草坪上笼罩着薄薄的雾气。我和别的小马驹在牧场低处吃草，突然听见远处传来狗的叫声。年纪最大的马驹抬起头，竖起耳朵，说："有猎狗！"说完撒腿就跑，我们也跟着跑到牧场高处，那里能越过篱笆看到那边的几个牧场。妈妈和另一匹主人骑乘的老马也站在近旁，他们似乎很了解情况。

　　"他们发现了一只兔子，"妈妈说，"如果朝这边来，我们就能看到打猎了。"

　　很快，那群猎狗就飞速跑过旁边青青的麦田。我从没听见过它们的这种叫声，不是吠，不是吼，也不是尖叫，而是扯足嗓门"哟，哟！噢，噢！哟，哟！噢，噢"地叫个不停。它们后面跟着一伙骑马的人，有几个穿着绿衣服，都在全力奔跑。那匹老马喷着鼻息，眼巴巴地望着他们的背影，我们小马驹很想跟着跑过去，可是他们很快就蹿到下面的田野里去了。然后他们好像站住不动了，猎狗也不叫了，鼻子贴着地面跑来跑去。

　　"他们闻不到气味了，"那匹老马说，"说不定兔子能逃脱呢。"

"什么兔子？"我说。

"哦！我也不知道是什么兔子。很可能是我们自己树林里跑出来的一只兔子。不管什么兔子，那些猎狗和人看见了就要去追！"过了一会儿，猎狗又开始"哟，哟！噢，噢"地叫起来，并以最快的速度朝牧场这边奔来，奔向岸边的篱笆丛。

"这下我们能看见兔子了。"妈妈说。就在这时，一只兔子惊慌失措地蹿过，朝树林里跑去。猎狗追上来了，忽地一下跳过河岸，越过小河，在田野上急速奔跑，猎人紧追其后。六个或八个骑马的男人一跃而过。那只兔子想穿过栅栏，无奈栅栏太密，它又回转身直奔大路，可是太晚了。猎狗们狂叫着向它扑去。我们听见一声尖叫，兔子就丧了命。一个猎人骑马过去，挥鞭赶开了猎狗，不然猎狗肯定很快就会把兔子撕成碎片的。猎人提着兔子血淋淋的腿把它举起来，那些先生看上去都很开心。

我完全惊呆了，一开始没有看清小河那边发生的事，等我定睛一看，那情景真是惨不忍睹。两匹好马摔倒了，一匹在水里挣扎，另一匹在草地上呻吟。一位骑手从河里爬上来，满身泥浆，另一位骑手躺在地上一动不动。

"他脖子摔断了。"妈妈说。

"那是他活该。"一匹小马驹说。

我也这样想，但妈妈不赞成。"不是的，"妈妈说，"千万别这么说，我是一匹老马，见过不少事，也听过不少事，但我还是弄不懂男人为什么这么喜欢这项运动。他们经常受伤，糟蹋好马，把地踩得一塌糊涂，只为了一只兔子、一只狐狸或一头小鹿，其实用别的办法更容易弄到它们。但是我们只是马，弄不清楚的。"

妈妈说话的时候，我们就站在那里看着。许多骑手都奔向那个年轻人，我的主人一直在注视事情的发展，此刻第一个冲过去扶起了他。年轻人脑袋耷拉，手臂无力地垂着，这时候每个人的神色都很凝重，四下里一片寂静，连狗也不叫了，它们似乎也知道出了事。人们把年轻人抬到我主人家里，后来我听说他是戈登老爷的独生子——年轻的乔治·戈登，一个相貌英俊的高个儿小伙子，是他们全家的骄傲。

人们分头骑马去找医生，找兽医，当然还有人去戈登老爷家报告少爷出了意外。兽医邦德先生来了，他看着躺在草地上呻吟的那匹黑马，把他全身摸了一遍，无奈地摇摇头：马的一条腿断了。几个人跑到我主人家拿来一杆枪，砰的一声巨响和一声惨叫之后，便没了声音，黑马再也不动了。

妈妈似乎很难过，她说她认识那匹黑马很多年了，他名叫罗布·罗伊，是一匹很好的马，没有一点坏心眼儿。从那以后，妈妈再也不到牧场的那个地方去了。

几天后，我们听见教堂的钟长时间地敲响，并看见大门外有一辆长长的、很奇怪的黑色马车，上面蒙着黑布，由几匹黑马拉着，后面还跟着一辆又一辆马车，全是黑的，而教堂的钟一直敲个不停。他们把戈登少爷送到墓地埋葬。他再也不能骑马了。我不知道他们是怎么处置罗布·罗伊的，而这一切都是那只小兔子惹的祸！

第 3 章　调教

我越长越帅,全身的毛细密柔软,又黑又亮,有一个蹄子是白色的,脑门上还有一颗漂亮的白星星。大家都觉得我相貌英俊,主人不肯把我卖掉,要把我一直养到四岁。他说,小孩子不应该像大人一样干活,小马驹在没有长大之前,也不应该像大马一样干活。

我四岁了,戈登老爷来看我,仔细端详我的眼睛、嘴巴和四条腿。他把我全身摸了一遍,还让我在他面前走路、小跑和快跑。他似乎很喜欢我,说:"等他调教好了,准是一匹很优秀的马。"主人说他要亲自调教我,不让我受到惊吓和伤害,他没有耽搁,第二天就开始了。

也许有人不知道"调教"是什么意思,我来说明一下吧。调教就是教马学会戴马鞍和笼头,学会在背上驮一个男人、女人或孩子,默默地听从吩咐,他们想去哪儿就去哪儿。除此之外,还要学会适应颈圈、尻带和兜尾带,并在穿戴时一动不动。然后还要套上马车,拉着车子走路或跑步,快慢必须听赶车人的要求。看到什么都不能惊慌失措,也不能跟别的马说话,不能踢,不能咬,也不能有自己的想法,永远都按主人的意志行事,即使在特别累、特别饿的时候也不例外。

最糟糕的是，一旦套上挽具，高兴了不能跳，累了不能躺。所以，调教是一件很不简单的事情。

当然啦，我是早就习惯了缰绳和笼头，习惯了被牵着在牧场和小路上走来走去，但现在我必须戴上衔铁和马勒。主人像平常一样给了我一些燕麦，好言好语地哄了我一会儿，便把衔铁塞进我嘴里，固定好马勒，唉，那玩意儿真讨厌啊！嘴里没戴过衔铁的人想象不出那滋味有多难受。一块冷冰冰、硬邦邦、像人手指那么粗的钢铁硬塞进你嘴里，卡着牙齿，压着舌头，两头从嘴角支棱出来，而且用皮带在头顶、脖子、鼻子和下巴固定得紧紧的，你永远没有办法摆脱那讨厌的硬邦邦的东西。真是太难受了！是啊，难受极了！至少我这样认为。但我知道妈妈每次出门都戴衔铁，而且所有的马长大了都要戴衔铁。就这样，在燕麦的安慰下，在主人的甜言蜜语和轻轻爱抚下，我套上了衔铁和缰绳。

接着是马鞍，那滋味倒不是太难受。丹尼尔老汉扶住我的脑袋，主人轻轻地把马鞍放在我背上。然后他快速把肚带套在我身体下面，一边不停地拍拍我，跟我说话。后来我吃了一些燕麦，又被牵出去走了走。他每天都这么做，最后我开始自己寻找燕麦和马鞍了。最后，有一天早晨，主人骑到我背上，在柔软的草地上走了一圈。那感觉确实有些奇怪，但必须承认，我驮着主人时心里感到很自豪。主人每天都过来骑我一会儿，我很快就适应了。

接下来又是一件痛苦的事，就是戴蹄铁，一开始也是很难受。主人把我领到铁匠铺，亲眼看着不让我受伤或受到惊吓。铁匠把我的脚拿在手里，一只接一只地割去蹄子上的一些肉。我没感觉到疼，便靠三条腿一动不动地站着，由他把四只脚都修整好。然后他拿出一块铁，形状和我的脚一样，给我穿上了，并把几根钉子从蹄铁钉进我的蹄子，这样蹄铁就牢固了。我感觉我的脚硬邦邦、沉甸甸的，但慢慢也就习惯了。

到这个地步，主人就给我套挽具了。又有许多新的东西要穿戴。首先是一个僵硬、沉重的颈圈，套在我的脖子上，还有一个带挡片的笼头，叫眼罩，也确实是眼罩，我看不见两边，只能目视前方。接着是个小马鞍，有一根讨厌的硬邦邦的皮带穿到我的尾巴底下，这就是尻带。我恨死了尻带。我的长尾巴折起来穿过那条皮带，那感觉简直和戴衔铁一样难受。我真恨不得踢人，可是当然啦，这么好的主人我怎么可能踢他呢，慢慢地，我什么都习惯了，可以像妈妈一样好好干活了。

我必须提一提调教过程中的一件事，我一直认为它给我带来了很大的好处。我主人把我送到邻近的农场住了两个星期，那里有一片牧场紧挨着铁路线。牧场上有一些羊和奶牛，我就和它们待在一起。

我永远忘不了第一列火车开过时的情景。当时我正在隔开牧场和铁路的栅栏边静静地吃草，突然听见远处传来一种奇怪的声音，我还没弄清是怎么回事，便看见一个长长的黑乎乎的大家伙呼啸而过，冒着黑烟，咣啷咣啷震耳欲聋，还没等我喘过气来，就不见了。我转身朝牧场那头没命地跑去，然后停下来呼哧呼哧喘气，心里又惊又怕。那天又有好几列火车开过，有些速度比较慢，它们在附近的车站停靠，停车时会发出可怕的尖叫和呻吟。我觉得这简直太恐怖了，但是可怕的黑家伙喷着烟驶过时，那些奶牛照样安安静静地吃草，连头也不抬一下。

最初几天，我定不下心来吃草。后来我发现这可怕的怪物从来不进牧场，也没有伤害过我，我便开始不理它，很快，我就像那些奶牛和绵羊一样，对过往的列车熟视无睹了。

后来，我看见许多马被蒸汽机车的样子或声音吓坏，失去控制。多亏我好心的主人考虑周到，我在火车站里一点也不害怕，就像在自己的马厩里一样。

如果有谁想调教小马驹，就应该这么做。

主人经常把我和妈妈套在一起赶着出门，因为妈妈稳当可靠，而且比一匹陌生的马更能教会我怎么去做。她对我说，我表现越好，得到的待遇就越好，尽力去讨主人喜欢才是最聪明的做法。"不过，"妈妈说，"人有各种各样，有像主人这样善良体贴，每匹马都引以为豪的，也有狠心恶毒，根本不配拥有一匹马或一条狗的。另外，还有许多蠢人，虚荣，无知，粗心大意，从来不愿意动脑筋，毁在这些人手里的马最多了，就因为他们缺乏常识，虽说不是故意的，但还是闯下大祸。我希望你落在好人手里，可是一匹马永远不会知道谁来买他，谁来使唤他，只能听天由命。我还是那句话，不管在哪里都要好好干活，别糟蹋自己的好名声。"

第 4 章　波特维庄园

这段时间，我总是站在马厩里，身上的毛每天都擦洗得像白嘴鸦的翅膀一样又光又亮。五月初，戈登老爷家来了一个人，他把我牵到大厅里，我的主人说："再见了，黑子，做一匹好马，永远努力干活。"我不会说"再见"，便把鼻子放在他手掌里，他亲切地拍拍我，我就这样离开了我的第一个家。我在戈登老爷家生活了几年，就简单介绍一下那个地方吧。

戈登老爷的庄园在波特维村庄边上，入口处有高大的铁门，门旁是一座小屋。进了大门，跑过一条平滑的小路，路的两边是大片大片的古树林，然后又是一座小屋，又是一道大门，里面是宅子和花园，再过去就是围场、老果园和马厩，是许多马和马车所待的地方。我只需描述一下我去的那个马厩，那里非常宽敞，有四个舒服的隔栏，一扇宽大的对开窗开向外面的院子，空气新鲜，令人心情舒畅。

第一个隔栏四四方方的，很大，有一扇木门挡着，比较隐蔽。另外几个普通隔栏也都很舒服，但没有第一个宽敞。第一个隔栏里有个放干草的矮架子，还有个放谷子的食槽。这种隔栏被称为"散放圈"，马在里面不用拴也不用系，自由自在，做什么都行。能待在散放圈里是一件很了不起的事。

马夫就把我牵进了这个漂亮的隔栏，里面又干净又舒适，通风良好。我从没享受过这么好的隔栏，四壁不太高，我可以透过顶上的铁栏杆看到周围的一切。

马夫给了我一些上好的燕麦，又拍拍我，亲切地说了几句话，便离开了。

我吃完燕麦，抬头四处张望。紧挨着我的隔栏里站着一匹胖胖的小灰马，厚厚的鬃毛，尾巴上的毛也很浓密，脑袋生得非常漂亮，有一个俏皮的小鼻子。

我仰起头来，越过我隔栏顶上的铁栏杆跟他说话："你好！你叫什么名字？"

他被缰绳勒着，尽量转过身来，仰起脑袋说道："我叫欢蹄，长得很漂亮，是给小姐们骑的，我有时还用轻便马车拉女主人出去。她们都很看重我，詹姆斯也是。你以后就住在我隔壁吗？"

我说："是啊。"

"好吧，"他说，"我希望你脾气好，我可不愿意住在会咬人的马隔壁。"

就在这时，那边的隔栏里探出一颗马脑袋，耳朵支棱在后面，眼神很不耐烦的样子。这是一匹高大的枣红色母马，长长的脖子很帅气。她朝我望过来，说道：

"原来就是你把我赶出了我的隔栏呀！你这么个小马驹竟跑来把一位女士赶出家门，真是太荒唐了。"

"请原谅，"我说，"我没有把谁赶出去。是那个人把我安排在这里的，跟我一点关系也没有。你说我是小马驹，其实我已经四岁，是一匹成年马了。我以前从没有跟哪匹马吵过架，我希望过安宁日子。"

"好啊,"她说,"等着瞧吧。其实,我才不想跟你这个小家伙吵架呢。"我什么也没说。

下午,她出去后,欢蹄仔细跟我介绍了情况。

"是这样的,"欢蹄说,"生姜有个坏习惯,喜欢咬人,所以他们管她叫生姜。她待在散放圈里的时候,咬人咬得可凶了,有一天把詹姆斯的胳膊咬出了血,害得弗洛拉小姐和杰西小姐都不敢走进马厩了。两位小姐都很喜欢我,经常带好东西给我吃,一个苹果、一根胡萝卜或一片面包,但自从生姜待在那个隔栏里,她们就不敢来了,我真想她们啊。如果你不咬人,我想她们还会再来的。"

我告诉他,我除了青草、干草和谷子,从来不咬任何东西,而且我不明白生姜咬人会得到什么乐趣。

"唉,我想她得不到什么乐趣,"欢蹄说,"这只是一个坏习惯。她说从来没有人好好待她,她凭什么不能咬人?当然啦,这是一个很不好的习惯,但我相信,如果她说的是真话,她来这里之前一定受过严重的虐待。约翰想方设法让她高兴,詹姆斯也尽了力,还有我们的主人,只要马没犯错误,他是从来不动鞭子的,所以我想生姜在这里脾气会变好的。你看,"他带着很明事理的神情说道,"我十二岁了,知道不少事情,我可以告诉你,对于一匹马来说,整个乡下都找不到比这里更好的地方了。约翰是天下最好的马夫,在这里干了十四年。詹姆斯呢,你再没见过比他更忠厚的小伙子了,所以,生姜没能待在那个隔栏里只能怪她自己。"

第 5 章 好的开始

车夫名叫约翰·曼利，他有妻子和一个孩子，他们就住在马厩旁边的车夫小屋里。

第二天早晨，约翰把我领到院子里，仔仔细细地梳理我的皮毛，等我回到隔栏里时，全身的皮毛柔软光亮。老爷进来看我，似乎感到很满意。"约翰，"他说，"我本来想今天早晨试试这匹新马的，但是又有了别的事情。吃过早饭，你不妨带他到处走走。骑到公共牧场和乔木林，再从水磨坊和河边返回，让他显示一下步子和速度。"

"是，老爷。"约翰说。他吃过早饭就来给我试笼头，特别仔细地把皮带一会儿勒紧一会儿放松，尽量让我的脑袋感到舒服。然后他拿来一个马鞍，可是放在我背上太窄了，他立刻就看出了这点，又去另外拿了一个来，这次特别合适。他骑着我先是慢慢走，接着开始小跑，然后又加快速度，到了公共牧场上，他用鞭子轻轻碰了碰我，我们就潇洒地奔跑起来。

"嗬，嗬！好小子，"他让我停住脚步，说，"我想你肯定喜欢追猎狗。"

我们穿过庄园回来时，碰见老爷和戈登太太在散步，他们站住了，约翰从马上跳下来。

"嘿，约翰，他跑得怎么样啊？"

"棒极了，老爷，"约翰回答，"他像鹿一样敏捷，而且很有精气神儿。只需轻轻一碰缰绳就能引导他。在公共牧场的那端，我们遇到一辆旅行马车，上面挂满了篮子、毯子什么的，您知道的，老爷，许多马碰到这种马车都不会保持安静，可他只是细细打量了一下，便安静而快活地继续走自己的路了。乔木林旁边有人在打兔子，就在近旁放了一枪，他停下来看了看，但脚步一点也没偏移。我只是握紧缰绳，并没有催促他，我认为他小时候没有受过惊吓和虐待。"

"很好，"老爷说，"我明天亲自来骑骑他。"

第二天，我被牵去给主人骑。我记住了妈妈和善良的老主人的忠告，一举一动都听从他的吩咐。我发现他是个很高明的骑手，而且很体贴他的坐骑。回来时，夫人等在大门口，主人骑马上前。

"怎么样，亲爱的，"夫人说，"你认为他怎么样？"

"约翰说得一点不错，"主人回答，"我最想骑的就是这种令人愉快的马了。我们管他叫什么呢？"

"黑檀木怎么样？"夫人说，"他黑得像檀木一样。"

"不好，别叫黑檀木。"

"那就像你叔叔的那匹老马一样，叫黑鸟吧。"

"不好，他比那匹黑鸟帅气多了。"

"对，"夫人说，"他真是一个美人儿呢，脸上的神情这么温和柔顺，一双眼睛这么漂亮聪明——管他叫黑骊怎么样啊？"

"黑骊——好啊，这真是个好名字！既然你喜欢，我们就这么叫他吧。"名字就这么定了。

约翰走进马厩告诉詹姆斯，主人和夫人给我挑了个又好听又合适而且很有意思的名字,不像马伦戈、帕加索斯或阿布达拉。两人都笑了起来,詹姆斯说:"如果不是怕勾起往事,我应该管他叫罗布·罗伊的,从没见过两匹这么像的马。"

"这不奇怪,"约翰说,"你不知道吗,格雷农场那匹叫女公爵的老马是他们俩的母亲呀。"

这可是我从没听说过的。在那次打猎中惨死的可怜的罗布·罗伊,竟是我的哥哥!怪不得妈妈当时那么难受。马似乎没有亲戚,至少被卖出之后就再也不认识了。

詹姆斯看样子很为我自豪,他总是把我的鬃毛和尾巴打理得像女士的头发一样柔顺光滑,还经常跟我说很多话。当然啦,他的话我并不都能听懂,但我越来越学会理解他的意思,明白他想要我做什么。我开始非常喜欢他了,他那么温和、善良,似乎完全知道马的感觉,给我搞卫生时,他知道什么地方敏感、什么地方怕痒。擦洗我的脑袋时,他格外当心我的眼睛,就像对待他自己的眼睛一样,而且他从来不发脾气。

在马厩干活的詹姆斯·霍华德也同样性情温和,令人愉快,所以我觉得自己过得很好。院子里还有一个帮工,但他很少跟我和生姜打交道。

几天后,我要和生姜一起出去拉车。我不知道我们能不能和睦相处,没想到她表现很好,只在我被牵过去时扇了扇耳朵。她干活勤勤恳恳,毫不惜力,这样的合作伙伴对我来说再好不过了。上山时,她不是放慢脚步,而是把全部力气聚集在颈圈上,用吃奶的力气往前拉。我们俩干活时都有那股子劲头,约翰不用催促我们向前,倒要经常控制我们的速度,他一次也没有对我们动过鞭子。我和生姜的步子也差不多,我发现小跑时很容易跟她脚步一致,这真让人开心,主人总是喜欢我们步调一致的样子，约翰也喜欢。一起出去两三次以后，我们就很友好很合得来了，这使我感到像在自己家里一样。

至于欢蹄，我和他很快就成了最好的朋友。他是一个特别快活、果断、好脾气的小家伙，每个人都很喜欢他，特别是杰西和弗洛拉小姐，她们经常骑着他在果园里跑来跑去，还跟他和小狗欢欢一起做一些小游戏。

主人还有两匹马关在另一个马厩里：一匹叫加斯蒂，是杂色矮脚马，用于骑乘或拉重物；另一匹是褐色的老猎马，叫奥利弗爵士，他年岁已大，不能干活了，可是主人非常喜欢他，把他养在庄园里。有时，他帮园子里运一些轻巧的东西，或者在小姐们跟父亲一起出去骑马时驮一位小姐，因为他性情非常温和，把小孩子交给他就像交给欢蹄一样可靠。矮脚马是一匹魁梧、结实、脾气随和的马，我们有时会在围场里聊一会儿，不过，我跟他的关系自然没有跟生姜那么亲密，因为生姜和我是在同一个马厩里。

第 6 章 自由

　　我在新家里感到非常开心，要说心里有点遗憾，那绝不是对现在的生活不满意。我身边都是善良的好人，马厩明亮，通风，吃的东西也都是最好的。我还想要什么呢？唉，是自由啊！三年半来，我的生活一直自由自在，无拘无束，可是现在，一个星期接一个星期，一个月接一个月，不用说，还有以后的年复一年。无论白天黑夜，我都只好呆呆地站在马厩里，除非有人需要我，那时候，我也必须要像一匹干了二十年的老马一样，不声不响，踏实肯干。身上到处勒着皮带，嘴里塞着衔铁，眼睛上还蒙着眼罩。唉，我并不是在抱怨什么，我知道非这样不行。我只是说，一匹年轻力壮的好马，精力充沛，雄心勃勃，以前总待在辽阔的牧场和草原上，扬起脑袋，甩开尾巴，嘚嘚嘚飞奔而去，绕一大圈回来，得意地冲同伴喷着鼻息——我的意思是，从此没有一点自由，不能够随心所欲，真是令人难受啊。有时候，我缺少活动，感觉精力过剩，身体里有使不完的劲儿，约翰来带我出去锻炼时，我真是没法儿保持安静。我好像非得蹦一蹦、跳一跳，或者尥几个蹶子才舒服，我知道我肯定把约翰颠得够呛，特别是一开始的时候。但他总是很耐心、脾气很好的样子。

"安静，安静，孩子，"他经常这么说，"等一等，我们痛痛快快地活动活动，一会儿你的蹄子就不痒痒了。"一出村子，他就让我撒开蹄子疾驰好几英里，然后把我带回来，这时候我神清气爽，而且用约翰的话说，不再感到烦躁不安了。精力旺盛的马如果活动不够，牵出来锻炼时经常"性子很烈"，有些马夫就会惩罚他们，但是我们的约翰从来不会。他知道这只是因为精力充沛。不过，他有办法通过他的语气，或者拉一拉缰绳让我明白他的意思。他非常严肃、态度很坚决的时候，我一般都能从他的语气里听出来，这对我来说比什么都有威力，因为我非常喜欢他。

必须承认，有时候我们也有过几小时的自由，通常是在夏季，在天气晴朗的星期日。星期日马车是不出门的，因为教堂离得并不很远。

最开心的是我们来到主人家的围场或老果园，脚踏在草地上是那么凉爽、那么柔软，空气那么芳香宜人，还有自由是那么令人快乐——想做什么就做什么，扬起蹄子奔跑，躺下来打滚儿，或者啃一啃清香的青草。还有，我们一同站在那棵大栗树的树荫下面时，最适合静静地交谈了。

第 7 章　生姜

一天，只有我和生姜站在树荫下，我们交谈了好长时间。她想知道我是怎么长大、怎么被驯服的，我原原本本地告诉了她。

"唉，"她说，"如果我有你那样的成长环境，我大概也会像你那样性情温和，可是现在恐怕没有这种可能了。"

"为什么呢？"我问。

"因为我的情况完全不同，"她回答道，"不管是马还是人，从来没有谁对我好过，我也从没像过去那样讨好谁。我刚断奶，就被人从妈妈身边带走，跟许多别的小马驹养在一起。他们谁也不喜欢我，我也不喜欢他们。我可没有你那样善心的主人照料我，跟我说话，拿好东西来给我吃。打我记事起，照顾我们的那个人从来没对我说过一句好话。我倒不是说他虐待我，但他一点也不关心我们，只让我们吃饱喝足、冬天不挨冻就行了。

"我们的牧场上有一条小路，大男孩们从小路上走过时，经常朝我们扔石子儿，打得我们撒腿快跑。我一次也没被打中，可是一匹漂亮的小马驹脸上狠狠地挨了一下，那伤疤肯定一辈子都好不了。我们不喜欢那些大男孩，不用说，这使我们脾气更暴躁了，而且在我们脑子里留下了一个根深蒂固的想法：男孩都是我们的敌人。我们在草地上玩得很开心，自由自在地跑来跑去，在牧场上一圈一圈地互相追逐，然后静静地站在树荫下休息。可是到了驯马的时候，我可就遭了殃。几个大男人跑来抓我，最后把我堵在牧场的一个角落里，一个男人揪住我脑门上的鬃毛，另一个男人抓住我的鼻子，并且攥得死死的，我差点连气也透不过来。又有一个男人用他粗壮的大手捏住我的下巴，使劲把我的嘴撬开，粗暴地把笼头和衔铁硬塞进我嘴里。然后，一个揪着我的笼头往前走，另一个在后面用鞭子抽我。这就是我第一次体验到人类的'仁慈'。纯粹的武力。他们不让我有机会弄清他们想干什么。我是一匹良种马，性格倔强高傲，性子也很烈，不用说，肯定让他们吃了不少苦头。结果我被关在一个隔栏里，关了一天又一天，一点自由也没有，我烦躁不安，没精打采，一心只想出去。你没有亲身体会的，你的主人仁慈厚道，耐心地调教，你还觉得痛苦得要命，而我，连这些都没有呢。

"有倒是有一个——老东家莱德先生——我想，他很快就能把我调教好，让我对他百依百顺。没想到，他把大部分产业都交给了他儿子和另一个有经验的人，他自己只是偶尔过来看看。他儿子是个五大三粗、不知天高地厚的人，他们管他叫山姆森，他总爱吹牛说，从来没有一匹马能把他从背上掀下去。他父亲身上的那种仁慈，在他这里一点也没有，他只是一味凶狠，声音凶狠，眼神凶狠，动作也凶狠。我从一开始就觉得，他一心只想磨掉我身上的傲气，把我变成一块逆来顺受、忍气吞声的'马肉'。'马肉'！没错，他脑子里就是那么想的。"生姜跺了跺蹄子，似乎一提起那个人就生气。然后她接着往下说道：

"只要我没有按他的吩咐去做，他就大发脾气，拽着长长的缰绳，让我在驯马场里一圈又一圈地跑,跑得我精疲力竭。他好像特别爱喝酒,我相信,他喝酒越多,我的日子就越难过。有一天,他用尽各种办法折磨我,最后我躺下来休息时,简直累成了一摊泥,心里又难受又恼火。这简直太过分了。第二天,他一大早就来牵我,又骑着我跑了很长时间。我还没有休息一小时呢,他拿着马鞍、笼头和一套新的衔铁又来了。我也说不清事情到底是怎么发生的。到了驯马场,他刚骑到我背上,我就把他给惹恼了,他使劲地用缰绳勒我。新的衔铁硌得我生疼,我忍不住用后腿直立起来,他的火气更大了,开始用鞭子抽我。我满腔的怒火都被他点燃了,开始又踢又踹,一会儿抬起前腿,一会儿扬起后蹄,这可是以前从来没有过的。我们激烈地搏斗,他在马鞍上坚持了很长时间,狠狠地用鞭子抽我,用靴刺扎我。我全身怒火沸腾,只要能把他甩下去,我什么都不顾了。经过一场可怕的搏斗,我终于把他甩下去了,听见他重重地摔在草地上,我没有回头看一眼,一股劲儿跑到场地的另一头。然后我转过身,看见那个折磨我的家伙慢慢地从地上爬起来,进了马厩。我站在一棵橡树下,默默地注视着,但没有一个人来抓我。时间一点点过去,阳光火辣辣的,苍蝇嗡嗡地围着我飞,停在我背上被靴刺扎伤的地方。我肚子饿了,从早上到现在什么也没吃,可是那片草地上的草还不够养活一只鹅的。我想躺下来歇一会儿,马鞍子紧紧地勒着我,弄得我很不舒服,周围也没有一滴水可以喝。下午就这样过去,太阳快落山了。我看见别的马驹被领进了马厩,我知道他们肯定能饱餐一顿。

"最后,太阳落下去了,我看见老东家出来了,手里端着一个筛子。他是个很体面的老先生,头发都白了,但是他的声音很特别,即使在一千个人里我也能听出来。他的声音不高也不低,但是浑厚、清晰,和蔼可亲;他吩咐事情时,语气很坚定,很果断,不管是马还是人,都知道他希望别人听从他的话。他静静地走过来,不时地抖动筛子里的燕麦,语调轻快而温和地对我说:'过来吧,小妞子,过来吧,小妞子;过来吧,过来吧。'我一动不动地站着,等他走近。他把燕麦递到我面前,我便吃了起来,一点也不害怕。一听到他的声音,我的恐惧就烟消云散了。我吃的时候,他站在一旁,轻轻地抚摸我、拍拍我,他看见我身上血迹斑斑,似乎心里很恼火。'可怜的小妞子!这事儿真糟糕,真糟糕。'他默默地牵起缰绳,领我朝马厩走去。山姆森站在马厩门口,我竖起耳朵,狠狠地瞪着他。'闪开,'老东家说,'离她远点,你今天把这匹小母马折磨得太狠了。'山姆森吼叫了几句什么,似乎骂我是个野蛮的畜生。'闭嘴吧你,'他父亲说,'脾气暴躁的人不可能调理出好脾气的马。你还远远没入门呢,山姆森。'他把我领进我的隔栏,亲手解下我的马鞍和笼头,把我拴好。然后他叫人拿来一桶温水和一块海绵,脱掉外衣,让小马夫举着水桶,他用海绵给我擦身子,擦了好一会儿,动作温柔极了,我相信他知道我的伤势有多严重。'吁!我的小美人儿,'他说,'安静,安静,别动。'他的声音我听了很宽慰,他的擦拭也让我感到很舒服。我嘴角的皮肤都破了,吃不了干草,草梗一扎就疼。他仔细查看了一下,摇了摇头,叫马夫拿来一些上好的麸皮糊糊,并往里加了一些燕麦片。那糊糊真好吃啊!软乎乎的,我的嘴巴一点也不疼。我吃的时候,老东家就站在旁边,一边抚摸我,一边跟马夫说话。'这样一匹烈性子的牲口,'他说,'如果不能用好办法来驯服,就会一辈子一事无成。'

"此后,他经常来看我,我嘴上的伤口愈合了,另一个驯马师,别人管他叫'乔布'的,继续来调教我。他性格果断,考虑事情很周到,很快,我就学会了揣摩他的心思。"

第 8 章 生姜的故事（续）

我和生姜下一次在牧场上相遇时，她跟我说了她待过的第一个地方。

"我被驯服后，"她说道，"就被一个商人买去，跟另一匹枣红马配对。商人让我们俩拉车拉了几个星期，又把我们卖给一位时髦的绅士，送到了伦敦。那商人用短缰绳①牵着我，这是我最恼恨的。而且在那个地方，缰绳还勒得特别紧，因为马车夫和他主人认为这样我们显得更气派。我们经常拉着马车去公园和其他时髦的地方。你从来没有勒过短缰绳，不知道那是什么滋味，我告诉你吧，那滋味可真是不好受。

"其实我很喜欢把脑袋昂得高高的，一直保持那个高度。可是你设想一下，你把脑袋高高扬起，一连好几个小时保持那种姿势，一点也动弹不得，除非再把脑袋扬得更高一些，你的脖子该是多么酸痛，最后简直不知道怎么忍受。还有，我嘴里戴着两个衔铁而不是一个，而且那衔铁还特别锋利，磨破了我的舌头和下颚。衔铁和缰绳弄得我

---

① 短缰绳：为防止马低头而系在挽具上的一种缰绳。

心里恼火、烦躁不安时，舌头上渗出的鲜血把我嘴角不断喷出的白沫都染红了。最难熬的是女主人去看演出或参加豪华派对时，我们必须站在外面干等，一等就是好几个小时，如果我焦躁地咬嚼子，或者不耐烦地跺蹄子，那鞭子就落下来了。这简直要把我逼疯。"

"主人就不为你们考虑考虑吗？"我说。

"才不呢，"她说，"他只想拥有一套时髦的车马——他们是这么说的。我看他根本对马一窍不通。他把我们都交给他的马车夫，马车夫对他说，我的性子焦躁暴烈！马车夫说我对短缰绳还不适应，但很快就会习惯的。可是他又不好好地调教我，每次我很难受地待在马厩里，心里充满怨恨时，他不是亲切地抚摸我、安慰我，而是对我恶声恶气，弄不好还给我一顿鞭子。如果他态度温和一些，我还会努力去承受。我其实很愿意干活，也愿意卖力气。可是他们无缘无故地折磨我，一时兴起就拿我撒气，这真让我恼火透了。他们有什么权力让我遭这样的罪？我不光嘴巴疼，后背疼，气管也总是不舒服，如果在那里待的时间再长一些，我的呼吸道肯定全毁了。我的脾气变得越来越暴烈，越来越烦躁不安，自己也控制不住。只要有人来给我套挽具，我就又踢又咬，马夫经常为这个打我。有一天，他们刚把我套在马车上，用那根缰绳扯着我的脑袋使劲往后仰，我就拼着全身的力气横冲直撞，连踢带蹿，很快就挣断了好几根绳索，脱出身来。这样，我在那个地方就再也待不下去了。

"此后，我被送到伦敦赛马拍卖行去出售。我当然并没有因此脱离苦海，也就不说它了。我模样英俊，步子矫捷，很快就有一位先生出价要买我，结果我被另一个商人买去了。他用各种办法试验我，给我戴不同的衔铁，很快他就弄清了我不能忍受什么。后来，他赶车时再也不用短缰绳勒我了。最后他把我作为一匹文静、温顺的马卖给了乡下的一位先生。那可是个好主人,我的日子过得很顺心,可是他的老马夫走了,来了一个新的。那家伙的脾气和山姆森一样暴躁,而且动作粗鲁,说起话来总是恶声恶气,很不耐烦,我在隔栏里的时候,如果他一叫我,我没有马上动弹,他就会扬起手里的扫帚或叉子,打我蹄关节上面的地方。他做什么事情都凶巴巴的,我就开始恨他了。他想让我怕他,但我的个性这么骄傲,怎么可能怕他呢?一天,他惹得我比平常更加恼火,我就咬了他,他当然气得要命,操起鞭子来打我的脑袋。从那以后,他再也不敢走进我的隔栏了,他心里知道,等着他的不是我的蹄子就是我的牙齿。我在主人面前是很温顺的,但他肯定是听了那家伙的坏话,我就又被卖掉了。

"原先那个商人听说了我的消息,说他知道我适合去什么地方。'真可惜啊,'他说,'这样一匹好马,就因为没有碰到好机会,居然就变坏了。'结果,在你来之前不久,我就到这里来了。但那时我已经打定主意,人类是我们的天敌,我必须自己保护自己。当然啦,这里的情况有很大不同,可是谁知道能维持多久呢?我也希望能像你那样想问题,但我经历了那么些事情,我已经办不到了啊。"

"不过,"我说,"你要是对约翰和詹姆斯也又踢又咬,那可就太不像话了。"

"只要他们对我好,"她说,"我就不会成心那么做。我确实有一次狠狠地咬了詹姆斯一口,约翰说:'你待她温柔一些试试。'我以为詹姆斯要惩罚我了,可他没有,而是带着包扎好的胳膊来看我,给我端来一盆麸皮糊糊,还温和地抚摸我。从那以后,我再也没有冲他动粗,以后也不会。"

我为生姜感到难过,但那时候我知道得很少,还以为生姜可能想得太悲观了。随着时间一星期一星期地过去,我发现她脾气越来越温和,心情也越来越好,以前只要有陌生人走近,她的眼神总是警惕且挑衅的,现在这种眼神不见了。一天,詹姆斯说:"我看那匹母马已经喜欢上我了,今天早晨我抚摸她的脑门时,她冲我哝儿哝儿地欢叫呢。"

"是啊是啊,吉姆,这就是'波特维大药丸'啊,"约翰说,"她慢慢就会变得跟黑骊一样好了,她需要的药就是仁慈呀,可怜的家伙!"主人也注意到了这种变化,一天,他从马车里出来,走上前跟我们说话——他经常这么做,他抚摸着生姜漂亮的脖颈。"嘿,我的美人儿,现在过得怎么样啊?我看,你可比刚来我们这儿的时候快活多了。"

生姜友好而信任地朝主人抬起鼻子,主人轻轻地抚摸她。

"我们会把她治好的,约翰。"他说。

"是啊,先生,她的进步真大,再也不是以前那个样子了,多亏了'波特维大药丸'啊,先生。"约翰说着,哈哈大笑起来。

这是约翰发明的一个小笑话,他经常说,不管多么顽劣的马,只要定期服用"波特维大药丸",差不多都能治好。他说,这种大药丸用耐心、温和、毅力和抚爱制成,每种成分一磅,再加入半品脱常识调和而成,每天给马服用。

第 9 章　欢蹄

教区牧师布罗姆菲先生家里孩子特别多，有时他们会来找杰西和弗洛拉小姐一起玩儿。一个女孩跟杰西小姐一样大，两个男孩更大一些，另外还有几个小不点儿。他们一来，可就把欢蹄忙坏了，因为这些孩子最喜欢轮流骑在他背上，在果园和围场里跑来跑去，一跑就是好几个钟头。

一天下午，欢蹄跟孩子们出去了很长时间，后来詹姆斯把他牵回来，给他套上笼头，说道：

"听着，你这个小淘气，可得表现好一点，别给我们惹麻烦。"

"你刚才做什么了，欢蹄？"我问。

"唉！"他扬了扬小脑袋说，"我只是给了那帮小家伙一个教训。他们玩起来没够，也不考虑我是不是吃得消，我就把他们从后面甩了下去，只有这样他们才会明白。"

"什么！"我说，"你把孩子们甩下去了？我没想到你会做出这种糊涂事儿！你把杰西小姐和弗洛拉小姐也甩下去了吗？"欢蹄似乎很生气，说道："当然没有，就是给我最好的燕麦，我也不会做出这样的事儿来。我对咱们两位小姐就像主人一样小心体贴，那些小家伙都是我教她们骑马的。她们在我背上显得有些害怕或不稳当时,我就轻手轻脚,放慢速度,就像老猫在捉一只小鸟一样。等她们安定下来了,我再加快速度,明白吗,让她们慢慢适应。所以你犯不着给我讲大道理。我是那些孩子最好的朋友,最好的骑马教练。我说的不是她们,而是那些男孩子。"他摇晃着鬃毛说,"男孩子很不一样,他们也需要得到一些调教,就像我们小时候那样,学会懂得一些道理。别的孩子骑着我跑了将近两个小时,两个男孩觉得应该轮到他们了,确实是的,我也愿意让他们骑。他们轮流骑在我身上,我带着他们在牧场和果园里跑来跑去,跑了整整一个小时。他们每人砍了一根又粗又长的榛树枝当马鞭,而且抽打的力气也大了点,但我都默默地忍了,最后,我觉得他们实在太过分了,就停下来两三次,想给他们一个暗示。你知道的,男孩子把马看成蒸汽机和脱粒机一样,想跑多快就跑多快,想跑多久就跑多久。他们从来没想到马也会累,也会有思想感情。所以,那个用鞭子抽我的男孩不明白这点时,我就用后腿直立起来,让他们从我背上出溜下去——就是这样。他又骑上来,我又把他甩下去。后来换了一个男孩骑我,他刚开始用鞭子抽我,我就把他摆倒在了草地上,一次两次,直到他们明白过来——就是这样。他们倒不是坏孩子,也不想做狠心肠的人。我很喜欢他们。但是你知道,我必须给他们一个教训。他们把我牵到詹姆斯面前向他告状,我认为詹姆斯看见那么粗的树枝很生气。他说这些树枝是马贩子和吉普赛人用的,不适合年轻的绅士。"

"如果我是你,"生姜说,"我就把那些男孩狠狠踢一顿,那才能给他们一个教训呢。"

"你肯定会那样做的,"欢蹄说,"但是我可不会那么傻(请原谅),我不会惹恼主人,让詹姆斯替我脸红。而且,那些孩子骑马的时候是由我照管的，大人把他们托付给了我。对了，那天我听见主人对布罗姆菲夫人说：'亲爱的夫人，您不用替孩子们担心，我的老伙计欢蹄会像您和我一样好好照顾他们的。我向您保证，不管出多大价钱我都不会卖掉那匹马，他脾气那么好，那么叫人信赖。'你说，我难道要做一个忘恩负义的畜生，忘记在这里五年来受到的善待，辜负他们对我的信任，就因为两个不懂事的男孩对我不好，我就露出凶相吗？不，不能！你从来没有在好地方待过，没有人友好地对待你，所以你不懂，我为你感到难过。但是我可以告诉你，好地方能够培养出好马。不管怎么样，我都不会惹主人家的人生气。我爱他们，真的。"欢蹄说着，鼻子里发出低低的"嗬，嗬，嗬"的声音，每天早晨他听见门口传来詹姆斯的脚步声时都会发出这样的声音。

"而且，"他继续说道，"如果我踢了人，会有什么下场呢？唉，肯定马上就会带着坏名声被卖掉，我大概会在某个屠宰场的小工手下卖命，或者在海边某个地方做活儿做到累死，没有一个人心疼我，他们只关心我跑得多快，或者被鞭子抽着拉车，车里坐着星期天出去寻欢作乐的三四个大人物，就像我以前住的那个地方经常看到的那样。不，"他摇着脑袋说，"我希望永远不会落到那一步。"

第 10 章　果园里的谈话

我和生姜不是一般的拉车的高头大马，我们身体里还流着一些赛马的血液。我们直立时有十五手①半，因此既适合拉车，也适合人骑。主人经常说，他不喜欢只能做一件事的马或人。主人不想在伦敦的公园里招摇显摆，所以看重的是更活跃、更有用的马。对于我们来说，最大的乐趣莫过于套上马鞍去参加骑马派对了。主人骑生姜，夫人骑我，两位小姐骑奥利弗爵士和欢蹄。大家一起优哉游哉地漫步小跑，真是太开心了，我们总是乐得心花怒放。最享受的就是我了，因为我总是驮着夫人，她分量轻，声音甜美，握着缰绳的手那么轻柔，我简直感觉不到她在驾驭我。

唉！如果人们知道一只温柔的手能使马感到多么舒服，知道它能够让马的嘴保持完好，脾气柔顺，他们肯定就不会像现在这样，动不动就拉扯缰绳，催马快跑了。我们的嘴很嫩，如果没有因无知的虐待而毁坏或变硬，是能够感觉到骑马人最轻微的手部动作的，我们立即就能知道应该做什么。我的嘴从来没有受到损害，我想，就是因为

---

① 十五手：约等于六十英寸。

这个,我比生姜更讨夫人的喜欢,虽然生姜的步子和我一样敏捷,这是不用说的。生姜经常嫉妒我,并说都怪她没有被调教好,伦敦的马衔不合适,使她的嘴不如我的完美。老伙计奥利弗爵士就说:"得啦,得啦!别自寻烦恼了。你是最风光的了。一匹母马驮得动主人那么沉重结实的大男人,而且动作轻快,身手敏捷,你用不着为了没驮夫人而垂头丧气。我们马一定要随遇而安,只要得到仁慈的待遇,就应该心满意足,任劳任怨。"

我经常纳闷奥利弗爵士的尾巴为什么那么短,只有六七英寸长,耷拉着一蓬鬃毛。有一次我们到果园里休息,我冒昧地问他是什么事故使他丢了尾巴。"事故!"他愤愤不平地喷着鼻息,"才不是什么事故呢!是一种冷酷、无情、可耻的行为!我小时候被带到一个专门做这种非人勾当的地方。我被拴起来,拴得紧紧的,一点也动弹不得,然后他们过来,连骨头带肉,割掉了我那根漂亮的长尾巴,把它拿走了。"

"好可怕啊!"我惊呼道。

"可怕,是啊!确实可怕,关键的问题不是疼,虽然确实疼得要命,疼了很长时间,也不是我身上最好的装饰物被夺走,我的尊严受到伤害,虽然这伤害确实很严重,最关键的是,今后我用什么来赶走我身上和后腿上的牛蝇呢?你们都有尾巴,随便甩甩就能把牛蝇赶跑,想都不用去想,你们不知道牛蝇歇在你身上叮了又叮,你却没有任何办法把它们掸走的滋味有多痛苦!告诉你们吧,这是一辈子的冤屈,一辈子的损失。谢天谢地,他们现在不这么做了。"

"当时他们为什么要这么做呢?"生姜问。

"为了赶时髦!"老马跺着蹄子说,"为了赶时髦!但愿你能明白这个意思。在我那个时候,没有哪匹良种小马的尾巴不被剪成那副丢脸的样子，就好像仁慈的上帝把我们创造出来，却不知道我们需要什么，也不知道什么最好看似的。"

"我想，他们也是为了赶时髦才用可怕的衔铁勒住我们的头，我在伦敦时被那玩意儿害苦了。"生姜说。

"那还用说！"奥利弗爵士说，"在我看来，赶时髦是世界上最坏的事情。比如，看看他们是怎么对待小狗的吧，为了让小狗看上去威风一些，就把它们的尾巴割掉，为了让狗耳朵看上去尖尖的，就把那一对漂亮的小耳朵修修剪剪。我以前有一个好朋友，是一只棕色的猎狗，他们管她叫'斯凯'。她特别喜欢我，总是睡在我的隔栏里。她在食槽底下搭了一个窝，生了五只漂亮的小狗崽，可爱极了。小狗没有一只被淹死，因为都是很值钱的狗，狗妈妈和宝宝在一起真开心啊！小狗崽们早上一睁眼，在地上爬来爬去，那样子好看极了。可是有一天，那人过来把他们都抱走了。我还以为他是担心我会把小狗踩死。才不是呢，到了晚上，可怜的斯凯把他们一只只地叼回来了。他们不再是原先活蹦乱跳的小家伙了，而是血淋淋的，可怜巴巴地哀叫着。他们的尾巴都被割掉了一截，柔软、漂亮的小耳朵也差不多都被剪掉了。狗妈妈心疼地舔着他们，她心里多痛苦啊，可怜的！我一辈子也忘不了那一幕。伤口慢慢愈合，小狗们也忘记了疼痛，但是那柔软、漂亮的耳朵，本来是用来保护小狗的耳朵里面不进灰尘、不受伤害的，却永远不见了。他们为什么不把自己孩子的耳朵剪得尖尖的，使他们看上去更精神呢？他们为什么不把自己的鼻尖割掉，让模样更清爽利索呢？这两件事的道理是一样的啊。他们有什么权力折磨并破坏上帝的造物呢？"

奥利弗爵士尽管态度温和，却是一匹烈性子的老马，他说的话我以前从没听过，简直太可怕了，我发现一种仇恨人类的情绪在我心里产生了，这可是以前从没有过的。生姜当然比我激动得多，她扬起脑袋，眼睛闪闪发亮，鼻孔张得很大，大声说人类既是畜生，又是笨蛋。

"谁在说笨蛋呢？"欢蹄说，他刚才靠在老苹果树上蹭痒痒，这会儿刚走过来，"谁在说笨蛋呢？我觉得这个词儿不好。"

"不好的词儿用来形容不好的东西。"生姜说完，把奥利弗爵士刚才说的话告诉了欢蹄。

"这些都是事实，"欢蹄悲哀地说，"我在第一个地方时，好多次都看见过狗的这种遭遇。可是在这里我们不要谈论这件事。你知道主人，还有约翰和詹姆斯一向都对我们很好，在这样一个地方说人的坏话，是不公平、忘恩负义的，而且你们知道，除了我们主家之外，还有许多仁慈的主人和仁慈的马夫，不过当然啦，谁也比不上我们的主家。"

我们都知道善良的小欢蹄最实事求是，他这番通情达理的话使我们都冷静下来，特别是奥利弗爵士。奥利弗爵士打心眼儿里喜欢主人。我为了改变话题，就说："谁能告诉我眼罩是做什么用的？"

"不能！"奥利弗爵士干脆地说，"因为眼罩根本就没用。"

"据说，"沙毛矮脚马加斯蒂慢条斯理地说，"眼罩是用来防止马受惊，防止马因为害怕而出事故的。"

"那他们为什么不给人骑的马，特别是女士骑的马戴上眼罩呢？"我说。

"根本就没有什么道理可讲，"加斯蒂还是那样不慌不忙地说，"除非是为了赶时髦。他们说，拉车的马看到车轮子在他身后滚动，肯定会吓得要命，惊慌逃窜，其实，即使是人骑的马，要是街上拥挤，他也会看到周围都是车轮。我承认，有时候车轮离得太近，让我们感到不舒服，但我们并不会惊慌逃窜。我们早就习惯了，知道是怎么回事儿。如果人们从来没有给我们戴过眼罩，我们根本就不会需要那玩意儿，我们完全能把东西看得清清楚楚，弄得明明白白，倒是看见那一副莫名其妙的玩意儿，我们才更会惊慌失措呢。当然啦，也有一些马天性胆小，小时候受过惊吓，遭到伤害，那倒不妨给他们戴上眼罩。但我从来没有胆小过，所以没法儿判断。"

"依我看，"奥利弗爵士说，"眼罩在夜里是很危险的东西。比起人来，我们马在黑暗中看东西要清楚得多，如果让马充分利用他们的视力，许多事故就不会发生。我记得几年前一个漆黑的夜晚，两匹马拉着一辆灵柩车回来，经过农夫麻雀家的时候，那里的池塘离路边很近，车轮挨到了池塘边，灵柩车整个儿翻到水里。两匹马都淹死了，车夫死里逃生。当然啦，这次事故之后，池塘边竖了一道结实、醒目的白栏杆，但如果那些马的眼睛没被蒙住，他们就会自觉地与池塘保持距离，也就不会出事了。你来这儿之前，主人的马车翻了，据他们说，如果左边那盏灯没灭，约翰就能看见修路工留下的那个大洞。也许是吧，其实要是老伙计科林的眼睛上没蒙眼罩，不管有没有灯，他都能看见那个洞，他可是一匹识途的老马，不会往危险的地方踩的。结果，科林受了重伤，马车也毁了，至于约翰是怎么死里逃生的，谁也不清楚。"

"要我说，"生姜翕动着鼻孔说，"那些人自以为绝顶聪明，他们最好下一道命令，让将来所有的新生马驹眼睛都长在脑门中央，而不是生在两侧，那些人以为自己能改善自然，修正上帝的造物呢。"

话题又变得令人痛苦了，这时欢蹄抬起他懂事的小脸，说道："告诉你们一个秘密吧：我看约翰并不赞成给马戴眼罩。有一天我听见他跟主人讨论这件事。主人说：'如果马戴惯了眼罩，到摘掉眼罩时就会有危险。'约翰说，他认为所有的小马驹在被调教时都应该不戴眼罩才好，就像国外有些地方的做法一样。所以，我们高兴一些，一起跑到果园的那头去吧。我想，风肯定吹落了一些苹果，我们可以像鼻涕虫那样大吃一顿。"

欢蹄的话是不可违抗的，于是我们结束了这次长谈，大口嚼吃散落在草地上的几个特别香甜的苹果，心情也随之好转起来。

第 11 章　直言不讳

我在波特维住得越久,就越为自己能在这个地方而感到骄傲、幸福。主人和夫人德高望重,凡是认识他们的人都很爱戴和尊敬他们。他们对每个人、每件事物都仁慈善良,不光是人,还包括马和驴子、小猫小狗、牛和小鸟。任何一个受压迫、受虐待的生灵,都能在他们那里找到友爱,家里的仆人中间也是这种风气。村里有哪个孩子欺负动物,他们很快就会从庄园的宅子知道这个消息。

据他们说,二十多年来,老爷和农夫格雷一直共同努力,废除对拉车的大马使用短缰绳的规矩,因此我们这片地区很少看见短缰绳。有时,夫人在路上看见马拉的东西太重,脑袋被缰绳勒得高高扬起,她就会停下马车,下去跟赶车人讲理,她用甜美而严肃的声音,指出他这么做是多么愚蠢和残忍。

我想,任何男人都抵挡不住夫人的魅力。我真希望所有的女士都跟她一样。主人有时候也严肃地指出别人的错误。我记得有一天上午,主人骑着我往家走,看见一个有权有势的人赶着一辆轻便马车迎面而来,拉车的是一匹漂亮的小枣红马,腿儿修长,头颅和面相都显得很高贵、聪颖。走到庄园门口,小枣红马转身奔向大门,那车夫也不说话，也不打招呼，猛地下死劲儿勒转马头，他用的力气真大，差点把马拽得蹲坐在地上。小马稳住身子，继续往前走，车夫又开始凶狠地用鞭子抽他。小马拼命往前蹿，但那只粗壮有力的大手使劲儿把漂亮的小马往后拉，他使的劲儿太大了，简直要把小马的下巴扯断，同时皮鞭狠狠地落在小马身上。这一幕看得我心惊肉跳，我知道那柔嫩的小嘴巴准是感到钻心的剧痛。这时主人吆喝我一声，我们一眨眼就赶到了车夫面前。

"索耶，"他厉声喊道，"难道这匹小马不也是有血有肉的吗？"

"他有血有肉，也有脾气，"车夫回答，"他太喜欢自行其是，那可不配我的胃口。"他说起话来口气冲冲的，好像很激动。他是个建筑工，经常到庄园里来办事。

"难道你认为，"主人严厉地说，"你这样对待他，就能使他喜欢你的想法？"

"他那个弯儿拐得没道理，应该一直往前走！"那人粗暴地说。

"你经常赶着这匹马到我庄园来，"主人说，"这正好显示了这匹马记性好、有灵性。他怎么会知道你今天不去那儿呢？不过问题还不在这里。告诉你吧，索耶先生，我从来没见过有人这样残忍、狠心地对待一匹小马，你这样控制不了自己的情绪，不仅伤害了你的马，也损害了你自己的人格。你要记住，上帝是根据我们的行为评判我们的，不论是对人还是对牲口。"

主人骑着我慢慢回家，我从他的声音里听出，这件事使他内心很痛苦。他对地位跟他相当的绅士说起话来也直言不讳，就像对地位较低的人一样。还有一天，我们在外面遇见了朗利上尉，他是主人的朋友。他驾着一辆四轮无篷大马车，拉车的是一对光彩照人的灰马。两人交谈了一会儿，上尉说道：

"道格拉斯先生,您觉得我这两匹马怎么样?喏,您是这一带的相马专家,我很想听听您的意见。"

主人让我退后几步,好好地打量那两匹马。"真是一对英气逼人的骏马,"他说,"如果他们不是徒有其表,那我相信您是别无所求了。但我看出您并没放弃您那套玩赏动物的方法,老是折磨您的马,削减他们的力量。"

"您指的是什么?"那人说,"短缰绳吗?哦,咳!我知道那是您的一个癖好。不瞒您说,我就喜欢看到我的马高高扬着脑袋。"

"我也喜欢,"主人说,"每个男人都喜欢,但我不喜欢看到马头被勒得往后仰,那会使马丧失光彩。我说,朗利,您是个军人,肯定愿意看见您的士兵在队伍里精神抖擞,昂首挺胸,但如果士兵们的脑袋都被绑在挡板上,您的操练就没什么值得夸耀的了!光是列队前进倒不怎么要紧,最多使士兵受点折磨,消耗体力。可是要跟敌人拼刺刀,要充分调动全身的肌肉,全力以赴地往前冲呢?我认为他们恐怕没有多少取胜的希望。马也一样:您弄得他们烦躁不安、情绪恶劣,就会削弱他们的力量。他们就不可能全身心地投入工作,就不得不过度地动用关节和肌肉,这样当然会使身体损耗得更快。请您相信,马也像人一样,愿意让他们的脑袋无拘无束。只要我们多多地按常识办事,而不是一味追求时髦,就会发现许多事情要容易得多。而且,您和我一样明白,如果一匹马走错了步子,但脑袋和脖子被缰绳往后勒着,他就没有多少机会调整过来。好了,"主人笑着说,"我已经让我的小马好好溜达了一会儿,您能不能决定也骑上他试试呢,上尉?您榜样的力量可是无穷的哟。"

"我相信您理论上是正确的,"上尉说,"那对士兵来说是一种痛苦折磨,可是——好吧——我回去好好想想吧。"说完,他们就分手了。

第 12 章　暴风雨的一天

深秋的一天，主人出远门办事，我拉着那辆双轮轻便马车，约翰也跟主人一起去了。我一向喜欢拉双轮轻便马车，它很轻，高高的轮子旋转起来真好看。大雨一直在下，此刻更刮起了大风，落叶被吹得在路上四下飞舞。我们一路都很愉快，最后来到了小木桥口收费站。河岸很高，木桥齐着河岸的高度建造，所以河水涨满时，桥板就差不多淹在水里了。不过桥两边都装着结实牢固的栏杆，大家并不担心。

收费站的人说，河水涨得很快，他担心夜里情况会很危险。许多草坪都被水淹了，路上地势低矮的地方，水都漫到了我的小腿上。马车底部很牢固，主人驾车很稳当，所以问题不大。

到了镇上，我自然是饱饱地吃了一顿，可是主人办事花了好长时间，天快黑时我们才往回赶。风刮得更大了，我听见主人对约翰说，他从来没在这样的暴风雨天气出来过。我想也是。我们沿着树林的边缘往前走，粗大的树枝像细柳条一样左右摇晃，湍急的河水声听着真是吓人。

"真希望赶紧走出这片树林。"主人说。

"是啊,先生,"约翰说,"如果一根粗树枝落在我们头上,可就不好办了。"

话音未落,只听得一声呜咽和咔啪一声巨响,接着是树木折断的声音,树丛中的一棵橡树被连根拔起,稀里哗啦地倒下来,正好挡在我们面前的道路上。我不能说自己不害怕,我当时确实怕得要命。我一动不动地站着,而且肯定浑身发抖。当然啦,我没有转身,也没有逃跑。我受的教育不允许我那么做。约翰从马车里跳出来,转眼跑到了我身边。

"真悬哪,"主人说,"现在怎么办呢?"

"是啊,先生,马车越不过那棵树,也不能从旁边绕过去。恐怕没有别的办法,只能返回四岔路口,绕到木桥那儿要走足足六英里,我们回去会很晚,但是马的精神头很足。"

于是,我们从四岔路口绕过去,赶到桥边时,天差不多全黑了。我们看见河水已经漫过了小桥中央,不过河水上涨时经常会发生这种事,主人并没有停下。我们快步往前走,可是,我的蹄子刚踏上桥面,我就感觉到肯定有哪儿不对劲儿。我不敢再往前了,完全停了下来。"走啊,黑骊。"主人说,他用鞭子碰了碰我,我还是不敢动弹。主人使劲抽了我一下,我惊跳起来,但还是不敢迈步。

"有点不对劲儿,先生!"约翰说着,从轻便马车里跳出来,走到我身边,四下打量了一下。他想牵着我往前走。"快走吧,黑骊,你怎么了?"我当然没法儿告诉他,但我心里很清楚,木桥已经不安全了。

就在这时,桥对岸收费站里的人从屋里跑出来,像疯了似的朝我们挥舞火把。

"嘿,嘿,嘿!嘿嘿!停下!"他喊道。

"怎么啦？"主人大声问。

"木桥中间断了，一截木板被水冲走了，如果你们过来，肯定会掉到河里去的。"

"谢天谢地！"主人说。"你这个黑骊！"约翰说着，牵住笼头，慢慢地把我转向小河右边的一条路。太阳已经落山好长时间了。大风刚才疯狂肆虐，把那棵大树连根拔起，现在也似乎已经平息。天越来越黑，四下里越来越安静。我轻轻地快步小跑，车轮碾过柔软的小路，几乎听不到一点声音。好一会儿，主人和约翰都没有作声，后来主人说话了，声音很严肃。他们说的许多话我都听不太懂，但我听出了他们的想法：如果我当时听了主人的吩咐继续往前走，木桥很可能会在我们脚下坍塌，马、车子、主人和约翰都会掉进河里。水流这么湍急，附近又没有灯光，也没有人赶来相救，我们很可能都会淹死的。主人说，上帝赋予人类思考的能力，他们自己就能把事情弄清楚，而上帝赋予动物的是无须经过思考的知识，这种知识要敏捷和准确得多，动物们经常凭借它挽救人类的生命。约翰讲了好几个狗和马的故事，以及他们所做的神奇的事情。约翰认为，人应该珍视他们的动物，并与动物交朋友，可是他们连一半都没有做到。我相信，如果有谁同动物交朋友的话，那就是约翰了。

最后，我们回到庄园门口，发现园丁正在找我们呢。他说天一擦黑，夫人就坐立不安，担心出了什么事故，她派詹姆斯骑上沙毛矮脚马加斯蒂，往木桥那边去打听我们的消息了。

我们看见门厅和楼上的窗口都有灯光，我们刚走近，夫人就奔了出来，说道："亲爱的，你真的没事吗？哦！我真是担心死了，想象你们出了各种可怕的事。你们没出意外吗？"

"没有，亲爱的。不过，要不是你的黑骊比我们头脑清楚，我们在木桥那儿就都被河水冲走了。"说着他们就进了房子,约翰牵着我往马厩走,后面的话我就听不见了。哦,那天晚上约翰给我吃了一顿多么美味的晚餐啊,喷香的麸皮糊糊,燕麦里还拌了一些碾碎的豆子。隔栏里的稻草铺得多么厚实啊!我真开心,因为我确实累坏了。

第 13 章 魔鬼的标记

一天,约翰和我出门替主人办事,回来时走的是一条长长的、直直的小路。隔着很远,我们就看见一个男孩骑着一匹小马,想从一道门上跃过去。小马不肯跳,男孩就用鞭子抽他,但小马只是往旁边一闪。男孩又抽了几鞭,小马又闪到另一边去了。男孩跳下马,狠狠地抽了小马一顿,还打了小马的脑袋。然后他又翻身上马,再次让马跳过那道门,并且狠心地不住用脚踢着小马,但小马还是不肯跳。我们走到近前时,小马一低头,猛地扬起后腿,男孩便结结实实地摔在一道宽宽的绿篱笆丛里。小马身上垂着缰绳,嗒嗒嗒地自己跑回家去了。约翰放声大笑。"他这是活该。"他说。

"喂,喂,喂!"男孩在荆棘丛中拼命挣扎,喊道,"我说,快来拉我出去呀。"

"不必啦,"约翰说,"我觉得你待在那里挺合适的,你挨点抓挠,就会知道不能逼着一匹小马去跳一道他跳不过去的门。"约翰说完就骑着我走开了。"说不定啊,"他自言自语地说,"那个后生不仅心肠狠毒,还是个爱说谎的家伙呢。黑骊,我们就从布什比庄园回家吧,如果有人想了解情况,我们可以告诉他们,对吧?"于是我们向右一拐，很快就到了堆谷场，远远地看见了庄园。庄园主急忙从屋里出来，跑到路上，他妻子站在门旁，一副惊慌失措的样子。

"你看见我儿子了吗？"我们走近时，布什比先生说，"他一小时前骑着我的小黑马出去，结果小马自己跑回来了。"

"先生，"约翰说，"我倒认为最好让小马自己跑回来，除非您儿子能好好地骑他。"

"什么意思？"庄园主问。

"是这样，先生，我看见您儿子对那匹可爱的小马抽鞭子，又踢又打，就因为小马不肯跳过一道太高的门。小马没有错，先生，一直表现得很好。但是他最后扬起后蹄，把小少爷甩进了荆棘丛。他叫我拉他出来，但我不愿意拉，希望您能原谅，先生。他没有摔断骨头，先生，只会被荆棘擦伤几处。我爱马，看到马受虐待我心里就恼火。把牲口惹急了动了蹄子，这可是很糟糕的，有第一次就有第二次啊。"

这时候，那个当妈的哭了起来："噢，我可怜的比尔，我一定要去接他，他肯定摔坏了。"

"你最好进屋里去，老伴儿，"庄园主说，"比尔需要得到一点教训，我一定要让他长点记性，他不是第一次虐待那匹小马，也不是第二次了，我再不能允许他这样。曼利，我很感谢你。晚安。"

于是我们继续往前走，约翰一路都在暗暗发笑。后来他又把这件事告诉了詹姆斯，詹姆斯哈哈大笑，说道："活该！我在学校就认识那个男孩，他因为是庄园主的儿子，就觉得自己有多么了不起，总是神气活现，经常欺负小男孩。当然啦，我们这些大男孩对这种做法看不过去，我们要让他知道，在学校里和操场上，庄园主的儿子和干粗活的儿子都是一样的。我清楚地记得有一天下午快要上课了，我发现他站在一扇大窗户前抓苍蝇，然后把苍蝇的翅膀揪掉。他没有看见我，我过去狠狠地给了他一记耳光，把他打得倒在地上。唉，虽然当时我很生气，但他那样不顾一切地大吼大叫，差点把我吓坏了。操场上的男孩子冲了进来，老师也从路上过来，看看这里是不是杀人了。当然啦，我立刻就把我做的事情原原本本、不偏不倚地说了一遍，并解释了原因。然后我让老师看那些苍蝇，有些被挤烂了，有些绝望地在那里蠕动，我还给老师看窗台上的苍蝇翅膀。我从没见老师这么生气过。可是比尔还在那里鬼哭狼嚎，他实际上就是个胆小鬼，老师没有再惩罚他，而是让他坐在一张小凳子上，一直坐到下午放学，并说他一星期都不能出去玩。然后，老师非常严肃地对所有男孩子说了什么是残忍，他说，忍心去伤害弱者和无力反抗的生灵，是非常冷酷和懦弱的行为。给我印象最深的是，他说残忍是魔鬼的标记，如果我们看见有谁以残忍为乐，我们就知道他是谁的人了，魔鬼从一开始就是个刽子手，一直都以折磨别人取乐。另一方面，如果我们看见有人爱他们的邻居，善待人和动物，我们就知道那是上帝的标记。"

"你们老师说得再对也不过了，"约翰说，"任何一种宗教都离不开爱，人们对于宗教说什么都行，但如果一种宗教不教人善待人和动物，那就都是骗人的鬼话——都是骗人的鬼话，詹姆斯，当涉及根本问题时，它就站不住脚了。"

第14章　詹姆斯·霍华德

十二月的一天早晨，约翰带我出去遛了遛蹄子，领着我回到隔栏，给我系上围布，詹姆斯拿着一些燕麦从谷仓过来，就在这时，主人走进了马厩。他的神情很严肃，手里捏着一封拆开的信。约翰拴好我隔栏的门，手触帽檐行了个礼，等候吩咐。

"早上好，约翰，"主人说，"我想知道你对詹姆斯有没有不满意的地方。"

"不满意？没有，先生。"

"他干活卖力吗？对你尊重吗？"

"是啊，先生，一向都是如此。"

"你从来没有发现他背着你磨洋工吗？"

"从来没有，先生。"

"那就好。不过我还有一个问题要问。你是不是有理由怀疑，他在遛马或骑马去送信时停下来跟熟人聊天，或者无故跑到别人家里去，把马留在外面呢？"

"没有，绝对没有。如果有人这么说詹姆斯，我绝不相信，除非亲眼看见，我是绝对不会相信的。我不想说是谁在那里诋毁詹姆斯的名声，但是我想说一句，先生，这个马厩里再没有比他更随和、更诚实、更聪明的小伙子了。我信得过他说的话，也信得过他干的活儿。他待马又温和又细致周到，我情愿把马交给他照应，那些认识的戴丝绸帽子、穿制服的年轻人，我一半也信不过。谁想了解詹姆斯·霍华德的为人，"约翰果断地一甩脑袋，"让他们来找约翰·曼利吧。"

他说话的时候，主人一直站在旁边，神情严肃地认真听着，约翰说完后，主人脸上才显出满意的微笑，他和蔼地看着仍然站在门口的詹姆斯，说道："詹姆斯，我的孩子，把燕麦放下，上这儿来。我很高兴地发现，约翰对你人品的看法跟我自己完全一样。约翰是个谨慎的人，"他脸上挂着古怪的笑容，说道，"有时候很难从他嘴里套出他对别人的看法，所以我就想旁敲侧击，敲锣听音，很快弄清我想知道的情况。现在我们说正事吧。我收到妻弟克利福德·威廉斯爵士从克利福德府寄来的一封信。他要我给他找一个信得过的年轻马夫，二十出头，懂行。他的老马夫已经跟了他三十年，现在年老体衰，想要一个人跟他一起干活，跟他学一学，以后等老人退了，就由他来接替。起初一星期十八个先令，一套马厩里穿的制服，一套赶马车穿的衣服，在马车房顶上有一间卧室，手下还有一个伙计。克利福德爵士是个很不错的东家，如果你能得到这个职位，倒是个很好的开端。我舍不得让你走，而且我知道，你这一走，约翰就失去了一个好帮手。"

"詹姆斯，你多大了？"主人问。

"到明年五月满十九岁，先生。"

"很年轻啊。你认为呢，约翰？"

"是啊，先生，年轻，但他是个响当当的男子汉了，成熟，结实，虽然在赶车方面没多少经验，但他眼明手快，做事仔细，我相信，绝不会有一匹马会因为蹄子得不到照料而毁掉。"

"你的话最能说明问题，约翰，"主人说，"克利福德爵士在附言中说：'若能找到您家约翰调教出来的人，那是再好不过了。'所以，詹姆斯，考虑考虑，吃饭时跟你母亲谈谈，然后把你的心愿告诉我。"

几天之后，事情就定下来了，詹姆斯照他主人的安排，再过一个月或一个半月就去克利福德府上，这段时间他抓紧一切机会练习赶车。我以前从没见过大车这么频繁地出去。太太不出门的时候，主人就会自己乘两轮轻便马车出去。现在呢，不管是主人还是小姐出门，或只是跑腿办事，都要把我和生姜套上大车，让詹姆斯赶着出去。开始，约翰陪他一起坐在车上，告诉他这么做那么做，此后詹姆斯就独自驾车了。

星期天主人去了镇上很多地方，我们经过的街道稀奇古怪。他总是在火车快要进站时去火车站，那个时候，各种大小马车、公共汽车都挤着想过桥，可当铁路上的铃敲响时，只有好马和一流的车夫才能过桥，因为桥很窄，到车站那儿还要拐一个很急的弯，若不是目光敏锐，头脑清楚，便很容易撞车。

第 15 章 老马夫

后来,主人和太太决定到离家四十六英里的地方去看望几个朋友,詹姆斯赶车送他们去。第一天,我们走了三十二英里。路不好走,有许多长长的、陡峭的山路,可是詹姆斯把车子驾得很当心、很仔细,所以我们一点也不觉得累。下坡的时候,他总是不忘刹车,到了合适的地方,又能及时放开车闸。他总是让我们的蹄子踏在最光滑平整的路面上,如果山路很长,他就让车轮微微横在路上,不让轮子倒转,给我们一点喘息的时间。这些小小的细节都对马很有帮助,况且他还对我们说一些温和的话语。

路上停了一两次,太阳落山时,我们来到了准备过夜的小镇。我们停在镇上的大旅馆,它就在市场上,非常气派。通过一道拱门进入一个长长的院子,院子那头是马厩和马车房。两个马夫过来帮我们卸车。马夫长是一个慈眉善目、动作敏捷的小老头儿,一条腿有点瘸,穿着一件黄色的条纹马甲。我从没见谁卸车的速度有他这么快,他拍拍我,温和地说了一句什么,牵着我走进一个长长的马厩,里面有六到八个隔栏,两三匹马。另一个人把生姜也带进来了。詹姆斯站在一旁,看着我们被擦洗干净,收拾利索。小老头儿动作那么轻快、敏捷，是我从没有见过的。他干完后，詹姆斯走上前来把我全身摸了一遍，似乎以为我不可能这么快就彻底擦洗干净，但他发现我的皮毛像丝绸一样光滑、清洁。

"哎呀，"他说，"我本来以为我的动作就够快的，我们的约翰比我还快，但您干起活来又快又彻底，我见过的人谁都比不上。"

"熟能生巧嘛，"瘸腿的老马夫说，"不然可就太糟糕了。干了四十年，还不熟！哈哈！那太糟糕了。要说做事快嘛，哎，上帝保佑！那只是一个习惯问题。如果你养成了做事快的习惯，就和慢慢地做一样容易，要我说，甚至还更容易呢。说实在的，像我这种身子骨，也没法儿慢吞吞地磨洋工。上帝保佑！我弯着身子干活的时候，可不能像有些人那样哼着小曲儿！知道吗，我十二岁就开始跟马打交道了，先是照料狩猎的马，然后照料赛马。我个子矮小，你也看到了，就当了几年职业赛马骑师。可是在古德伍德赛马会上，草地滑得要命，我那可怜的翠雀花一下子滑倒了，我摔断了膝盖，当然就待不下去了。但我离开了马没法儿活，真的没法儿活，就跑到旅店去找活儿干。说实在的，照料这样一匹牲口真叫人打心眼儿里快活，良种马，有教养，照料得仔细。上帝保佑！我能看出一匹马得到了什么样的照料。让我跟一匹马待上二十分钟，我就能告诉你他有个什么样的马夫。看看这匹马吧，性情愉快，安静，叫他转身就转身，自动抬起蹄子给人擦洗，简直没的挑。有的马怎么样呢，脾气暴躁，坐立不安，不听指挥，不肯进栏，你一走近，他就扬起脑袋，竖起耳朵，好像害怕你似的，或者甩开蹄子就给你来两下。可怜的家伙！我知道他们平常得到了什么样的照料。这种情况下，胆小的马就会变得容易受惊，胆大的马就会变得凶狠或危险。马的脾气多半在小时候就形成了。上帝保佑！他们就像小孩，就好像书里说的，按照正确的方式调教他们,等他们大了,即使有机会也不会走到邪路上去。"

"我喜欢听您说话,"詹姆斯说,"在主人家里我们就是这么规定的。"

"谁是你们主人呀,年轻人?也许我不该这么问你。不过我这么看下来,觉得他可是个好人呢。"

"他是贝肯山那边波特维庄园的戈登老爷。"詹姆斯说。

"啊!这就对了,这就对了,我听说过他。是个相马专家,对不?是这一带最棒的骑手。"

"我相信是的,"詹姆斯说,"可是自从可怜的小少爷死了之后,他现在很少骑马了。"

"唉!可怜的先生。我在报纸上读到过这件事。还死了一匹好马,是不?"

"是啊,"詹姆斯说,"那可真是一匹很出色的牲口,跟这匹是兄弟俩,长得一模一样。"

"可惜了!可惜了!"老头儿说,"如果我没记错的话,他不该在那里跳马的。顶上是薄薄的栅栏,陡峭的河岸下面就是河水,对不?一匹马根本不可能看清前面的路。说起来,我骑马也算够大胆的,不比任何人差,但有的地方只有特别老到的猎人才有资格去跳。一条人命和一条马命可比一条狐狸尾巴值钱多了,至少我认为是这样。"

这时候,另一个马夫收拾好生姜,把我们的谷子端了进来,詹姆斯和老头儿就一起离开了马厩。

第 16 章　大火

就在那天晚上，又有一位旅客的马由第二个马夫牵了进来，马夫给马擦洗时，一个年轻人嘴里叼着烟斗，懒洋洋地踱进马厩来聊天。

"我说，托勒，"马夫说，"爬到厩楼上去，给这匹马的饲料槽里添一些干草，好吗？不过得把你的烟斗放下。"

"好吧。"那人说着就爬到活板门上去了，我听见他的脚踏过头顶上的地板，然后他就把干草抱下来了。詹姆斯进来之后又看了我们一眼，门就关上了。

我不清楚我睡了多久，也不清楚当时是夜里几点，我只是很不舒服地醒了过来，却不知道是怎么回事。我爬起身，空气似乎很污浊，有些呛人。我听见生姜在咳嗽，还有一匹马好像很不安稳。四下里一片漆黑，我什么也看不见，但马厩里似乎烟雾弥漫，我简直连气也喘不过来了。

活板门还开着，我觉得烟就是从那里冒出来的。我侧耳细听，听见轻微的哗哗声，还有噼噼啪啪的爆裂声。我不知道那是什么，但听着有些异样，使我全身发抖。另外几匹马都醒了，有的在扯缰绳，有的在跺蹄子。

终于我听见外面传来脚步声，早先把旅客的马牵进来的那个马夫提着灯冲进马厩，解开一匹匹马的绳索，想把他们都牵出去。可是他那样手忙脚乱，又那样惊慌失措，使我们看了更害怕了。第一匹马不肯跟他走，他又去牵第二匹和第三匹，他们也不肯动弹。接着他跑来牵我，使劲地拽我，想把我硬拽出马厩。这当然也没有用。他挨个儿试了试马厩里所有的马，最后只好走了。

我们当然是很愚蠢，但当时似乎到处都很危险，周围没有一个认识的人可以信任，一切都那么陌生，那么不可捉摸。马厩的门开着，透进了新鲜空气，使呼吸不那么困难了，但头顶上的哗哗声越来越响，我抬起头，透过空空的草料架的格栅，看见墙上红光闪烁。这时我听见外面有人大喊一声"着火啦"，接着老马夫迅速闪身进来，他牵出一匹马，又返身进来牵另一匹，可是火苗在活板门周围窜来窜去，外面人声鼎沸，可怕极了。

紧接着，我听见詹姆斯的声音，那么温和，那么快乐，跟平常没什么两样。

"来吧，我的美人儿，我们该走了，醒醒，快跟我来。"我站得离门最近，他先来牵我，一过来就拍了拍我。

"来吧，黑骊，好孩子，戴上你的笼头，我们马上就离开这让人透不过气的地方。"笼头立刻就套上了，他摘下脖子上的围巾，小心地系在我眼睛上，一边轻轻拍我，小声哄着我，一边就把我领出了马厩。来到院子里安全的地方，他摘掉我眼睛上的围巾，喊道："谁过来一下！牵住这匹马，我回去牵另一匹。"

一个身材魁梧的男人上前接过缰绳，詹姆斯一转身又冲进马厩。我看着他的背影，发出尖厉刺耳的嘶鸣。生姜后来告诉我，多亏我那声嘶鸣救了她，她要不是听见我在外面，死也不会有勇气出来。

院子里一片混乱，人们把一匹匹马从别的马厩里牵出来，把大车小车从房子和棚屋里拉出来，生怕火势继续蔓延。院子另一边，人们把窗户打开，扯着嗓子大呼小叫。我只是目不转睛地盯着马厩的门，里面冒出的黑烟更浓了，还看见红光在闪动，很快，在所有的喧嚣吵闹声中，我听见了主人的声音，那么响亮、清晰：

"詹姆斯·霍华德！詹姆斯·霍华德！你在吗？"

没有回答，我听见马厩里什么东西哗啦一声倒塌了，接着，我发出了洪亮、喜悦的欢叫，因为我看见詹姆斯牵着生姜正从浓烟里走出来。生姜在剧烈地咳嗽，詹姆斯也被呛得说不出话来。

"勇敢的小伙子！"主人把手放在詹姆斯的肩膀上说，"你受伤了吗？"

詹姆斯摇了摇头，他还是说不出话来。

"是啊，"牵我的那个大个子说，"真是个勇敢的小伙子，没的说。"

"好了，"主人说，"詹姆斯，等你喘过气来，我们就尽快离开这个地方。"我们都朝大门走去，这时集市那边传来了嘚嘚的马蹄声和滚滚的车轮声。

"救火车！救火车来了！"两三个声音一齐喊，"让开，让开！"随着一阵震耳欲聋的马蹄声，两匹马踏着石板路冲进院子，后面拉着一辆沉重的救火车。消防员跳到地上，不用问哪里着火——巨大的火苗从房顶上翻滚出来。

我们尽快离开，来到开阔、安静的集市上。夜空群星闪烁，四下里一片寂静，只有身后传来喧嚣声。主人领着我们走向集市另一边的一家大旅店，马夫刚一过来，主人就说："詹姆斯，我必须赶紧到夫人那儿去。这些马就全托付给你了，你认为需要什么就尽管吩咐。"主人说完，就匆匆离去了。主人并没有跑，但我从没见过有谁像他那天夜里走得那样快。

还没走进隔栏，我们就听见一种可怕的声音——那些可怜的、留在马厩里的马被烧死时发出的惨叫——真是太恐怖了！我和生姜听了都很难过。只有我们被救了出来，得到精心的呵护。

第二天早晨，主人过来看我们，跟詹姆斯说话。我没有听见多少，因为马夫在给我擦洗身子，但我看出詹姆斯非常高兴，我想主人一定很为他骄傲。夫人夜里受了很大惊吓，我们推迟到下午再动身，詹姆斯上午时间充裕，就先到客栈去料理我们的挽具和马车，又打听了这次失火的情况。我们听见他回来后告诉了马夫。起初，谁也弄不清火是怎么着起来的，最后有个人说，他看见迪克·托勒嘴里叼着烟斗进了马厩，出来时烟斗没有了，又到酒吧去买了一个。接着副马夫说，他确实叫迪克爬梯子上去搬些干草下来，但先叫他把烟斗放下的。迪克不承认他带着烟斗，但谁也不相信他。我记得我们家约翰·曼利的规矩，绝不允许把烟斗带进马厩，我认为到处都应该遵守这样的规矩。

詹姆斯说马厩的房顶和地板都塌了，只有被熏黑的墙壁还立着。两匹可怜的马没能逃出来，被埋葬在烧焦的房梁和瓦砾中。

第17章　约翰·曼利的谈话

剩下来的路就很好走了，太阳落山后不久，到了主人朋友的家里。我们被牵进一间干净、舒适的马厩，一位慈善的马车夫把我们照料得非常舒服，他听说着火的事情后，似乎觉得詹姆斯很了不起。

"年轻人，有一点很清楚，"他说，"你的马知道他们可以信任谁。着火或发大水的时候把马弄出马厩，是世界上最难的事情之一。我也不明白马为什么不肯出来，但他们就是不肯——二十匹马里没有一匹肯动。"

我们在这个地方待了两三天就回家了。旅途上一切顺利，我们回到自己的马厩里感到很高兴，约翰看见我们也很高兴。

晚上，约翰和詹姆斯离开我们之前，詹姆斯说："不知道由谁来接替我。"

"旅舍里的小乔·格林。"约翰说。

"小乔·格林！哎呀，他还是个孩子呢！"

"十四岁半了。"约翰说。

"可还是小不点儿呀！"

"没错，他是很小，但他手脚麻利，踏实肯干，心眼儿也不错，而且他特别想来,他父亲也愿意。我知道主人愿意给他这个机会。主人说,如果我认为乔不行,他就找一个大一点儿的男孩,我说我愿意试用他六个星期。"

"六个星期!"詹姆斯说,"他起码要过六个月才能派上用场!你可要拼命干活了,约翰。"

"呵呵,"约翰笑着说,"我和干活是一对好朋友。我还从没有害怕过干活呢。"

"你真是个好人,"詹姆斯说,"我希望我也能像你一样。"

"我一般不喜欢谈我自己,"约翰说,"但你就要离开我们,一个人出去闯天下了,我想跟你说说我是怎么看待这些事情的。我在约瑟夫这么大时,父母亲染上热病,十天内双双离开人世,留下我和瘸腿的妹妹耐丽孤零零地在这世界上,没有一个亲戚可以投靠。我是个农民的儿子,挣的钱不够养活我自己,更别说还要养活我妹妹,如果没有夫人的帮助,妹妹肯定就只好去济贫院了,耐丽称夫人是她的天使,这么说确实有理由。夫人在老寡妇马赖特家里给我妹妹租了间屋子,等我妹妹能做点儿针线时,就给她找点活儿来干。妹妹生病时,夫人派人给她送饭,还送给她许多又漂亮又舒适的东西。夫人待她真像母亲一样。再说主人,他把我安排在马厩里,在当时的马车夫诺尔曼手下干活。我在主人家吃饭,在厩楼上睡觉,还有一套衣服,每星期还能拿到三个先令,这样我就能帮助耐丽了。再说诺尔曼,他完全可以回绝这件事,说他年岁大了,没精力再带一个只干过农活的生手,但他就像父亲一样对我,耐心地、不怕辛苦地调教我。几年后老人死了,我接替了他,当然啦,现在我拿最高的薪水,还略有积蓄,好日子坏日子都不用担心,耐丽快活得像小鸟一样。所以,詹姆斯,我不应该拒绝一个小男孩,也不应该惹恼一位善良、仁慈的主人。

不，绝不能！我会非常想你的，詹姆斯，但我们都会熬过来的，没有什么比做一件善事更重要的了，我很高兴我能这么做。"

"那么，"詹姆斯说，"你不同意那句老话'每个人都只关心自己的利益'啰？"

"当然不同意，"约翰说，"如果主人、夫人和老诺尔曼只考虑自己的利益，我和耐丽会落到什么境地呢？唉，耐丽准是在济贫院里，我呢，在地里刨块根！如果你只考虑自己的利益，黑骊和生姜会怎么样？唉，被活活烤死！不，吉姆，不！那是一句自私、野蛮的老话，不管是谁说的。如果有人认为他只需考虑自己的利益，那他大概要像小猫小狗那样淹死了才会把眼睛睁开。我就是这样想的！"约翰说着，很坚决地扬了一下脑袋。

詹姆斯笑了起来。他说话时声音有些哽咽："除了我母亲，你是我最好的朋友了。我希望你不要忘记我。"

"不会的，孩子，不会的，"约翰说，"如果有什么要我帮忙，我也希望你会记得我。"

第二天，乔来到马厩，趁詹姆斯没走之前把该学的都学一学。他学着打扫马厩，把稻草和干草抱进来，然后开始清理挽具，帮着洗刷马车。他个头太矮，给我和生姜梳毛很不得劲儿，詹姆斯就教他料理欢蹄，以后欢蹄的事就都由乔负责，詹姆斯在旁指导。乔是个聪明伶俐的小伙子，来干活时总吹着口哨。

欢蹄觉得被一个"一窍不通的小伙子毛手毛脚地摆弄"很是恼火，但两个星期快结束时，他偷偷告诉我说，他认为那个男孩会有出息的。

最后，詹姆斯终于要离开我们了。他性情那么快活的人，那天早晨也显得心情沉重。

"唉，"他对约翰说，"我舍弃了多少东西啊，我母亲和贝西，还有你，还有善良的主人和夫人，还有这些马，还有我亲爱的欢蹄。到了新地方，我一个认识的人都没有。要不是为了更有出息，更多地帮助我母亲，我绝不会下决心离开这里的，这真让人难受啊，约翰。"

"是啊，詹姆斯，好孩子，是这样啊。如果你第一次离开家一点也不难过，我会觉得你这个人不怎么样。高兴点儿吧，你在那里会交上朋友的。我想你一定会很顺利，那样对你母亲也有好处，她会为你得到这么好的工作而骄傲的。"

约翰的话使詹姆斯高兴起来，但是大家都为失去詹姆斯而难过。至于欢蹄，他一连几天闷闷不乐，几乎一点食欲也没有。于是，有几天早晨约翰骑我出去锻炼时就用一根缰绳把他也牵出来，让他和我并肩奔跑，慢慢地，这小家伙的情绪就好了起来，很快就恢复了正常。

乔的父亲经常过来帮着干点活，因为他是懂行的。乔学东西很努力，约翰看到他的进步打心眼儿里高兴。

第 18 章　请医生

詹姆斯走后几天的一个夜晚，我吃过草料，躺在稻草上睡得正香，突然马厩的铃声大作，把我从梦中惊醒。我听见约翰的房门打开了，他脚步匆匆地奔向门厅。很快他又跑了回来，打开马厩的门锁，大声喊道："醒醒，黑骊！必须马上就走！"没等我明白是怎么回事，他就给我戴上了马鞍，套上了笼头。他跑去拿来他的外衣，牵着我飞快地跑向大厅的门。先生站在那里，手里提着灯。

"听着，约翰，"他说，"拼命快跑——救你女主人的性命，一分一秒也不能耽搁。把这张纸条交给怀特医生。让马在客栈里休息一会儿，然后尽快赶回来。"

"是，先生。"约翰说完立刻翻身上马。住在偏房的花匠也听见了铃响，早就把大门打开了，我们穿过庄园，冲过村庄，奔下山坡，一口气跑到收费站。约翰大声喊叫，使劲砸门，那人很快便出来升起了吊门。

"听着，"约翰说，"你让门开着等医生过去。给你钱。"说完就走了。

我们面前是一条长长的、平坦的河滨小路，约翰对我说："好了，黑骊，使足劲儿跑吧！"我立刻狂奔起来。我不需要鞭子，也不需要马刺，以最快的速度一口气跑了两英里。我的老祖父曾在纽马克特赛马会上得过冠军，但我不相信他会比我跑得更快。跑到桥边时，约翰拽了拽缰绳，拍拍我的脖子。"干得好，黑骊！真是好样的！"他说。他本来想让我放慢一点速度，但我的情绪已经上来了，一撒蹄子，又像刚才一样跑得飞快。空气凛冽，月光皎洁，真是令人心旷神怡。我们跑过一个村庄，又跑过一片漆黑的树林，上山，下山，足足跑了八英里，终于来到镇上，穿过大街小巷进入集市。每个人都在睡梦中，四下里一片寂静，只有我的蹄子嘚嘚嘚地踏过石板路。教堂的钟敲响三点时，我们来到怀特医生家门前。约翰摁了两下门铃，又把门擂得震山响。一扇窗户突然打开，怀特医生戴着睡帽探出脑袋，问道："你想干吗？"

"戈登夫人病得很重，先生。主人要您马上就去。他说如果您不赶去的话，夫人恐怕就会死。这是纸条。"

"等等，"医生说，"我这就来。"他关上窗户，一眨眼就来到门口。

"真糟糕，"他说，"我的马出去跑了一天，已经累坏了。我儿子刚才被人叫去，骑走了另一匹马。怎么办呢？我能骑你的马吗？"

"他刚才一口气跑过来的，先生，我本来想让他在这里休息一会儿。不过如果您认为合适，我想主人不会反对的，先生。"

"好吧，"医生说，"我很快就准备好。"

约翰站在我身边抚摸我的脖子。我浑身发热。医生拿着鞭子出来了。

"您用不着拿鞭子，先生，"约翰说，"黑骊只要不倒下，就会一直往前跑。请您好好照顾他，先生。我不希望他遭到任何伤害。"

"不会的，不会的，约翰，"医生说，"我希望不会！"一眨眼的工夫，我们就把约翰远远地抛在了身后。

回来路上的情况就不说了。医生的身体比约翰重，骑马也不大在行。不过，我还是尽力快跑。收费站的人把门开着。我们来到小山前时，医生把我勒住了。"好了，我的好伙计，"他说，"歇口气吧。"我巴不得他这么做，因为我也差不多累垮了。喘喘气之后我觉得好多了，很快我们就进了庄园。乔站在偏房门口，主人听见我们回来，赶紧迎到大厅门口。他一句话也没说，医生跟他进了房子，乔把我牵进马厩。终于到家了，我的四条腿不停地发抖，只能站着喘粗气。我身上的毛没有一根是干的，汗水顺着腿往下淌，用乔的话说，我就像炉子上的水壶，腾腾冒着热气。可怜的乔！他年纪轻，个头也小，好多事都不懂，而他父亲本来可以帮助他的，偏偏又有事到邻村去了。我相信乔是尽心尽力了。他擦干我的腿和胸脯，但没有给我披上温暖的盖布，他以为我太热，披上盖布会不舒服。然后他提来一桶水给我喝，水很凉，很解渴，我一口气都喝光了。他又给我抱来一些干草和谷子，以为自己做得很对，就走了。很快，我就开始浑身发抖，从里到外冷得要命。腿也疼，腰也疼，胸口也疼，身上没有一处不疼。我真想念约翰，可是他有八英里的路要走呢。我躺在稻草上，想让自己进入梦乡。过了很长时间，我听见门口传来约翰的声音。我大声呻吟，因为我确实难受极了。约翰一眨眼就跑到我身边蹲了下来。我无法把我的感觉告诉他，但他似乎什么都知道。他用两三条温暖的盖布披在我身上，到房子里去拿来热水，又给我熬了一些热乎乎的燕麦粥，我喝了下去，后来我大概是睡着了。

约翰似乎气坏了。我听见他一遍遍地自言自语："这个笨蛋！笨蛋！不给马披盖布，我敢说那水也是凉的。男孩都不是好东西。"其实乔倒真是个好孩子。

我已经病得很重了,肺部严重感染,一呼吸就疼痛难忍。约翰日日夜夜地照料我。每天夜里都起床两三次过来。主人也经常来看我。"我可怜的黑骊,"有一天他说,"我的好马儿,你救了夫人的命啊,黑骊,没错,你救了她的命。"我听了心里非常高兴,似乎医生说过,如果我们再晚一点就来不及了。约翰告诉主人,他一辈子也没见过哪匹马跑得这么快,就好像黑骊明白是怎么回事似的。我当然明白,不过约翰不这么想。我至少知道:为了我们的女主人,我和约翰必须以最快的速度奔跑。

第 19 章　只是无知

我不知道我病了多久。马医邦德先生每天都来。有一天他给我放了血，约翰端着一只桶接血。放完血后，我浑身一点力气也没有，以为自己快要死了，他们似乎也都这样想。

生姜和欢蹄都转到另一间马厩去了，这样我就清净一些，我发烧时耳朵特别灵，一点点小声音都觉得特别吵，我能听见房子里每个人走来走去的脚步声，知道周围发生的事情。一天夜里，约翰喂我吃药，托马斯·格林进来帮他。吃完药后，约翰尽量让我感到舒服一些，他说还要观察半小时，看看药效如何。托马斯说要陪他一起待着，于是他们走过去坐在欢蹄隔栏里的一张板凳上，把提灯放在脚边，不让灯光打扰我。

两人默不作声地坐了一会儿，然后托马斯·格林轻声说：

"约翰，我希望你给乔说一句好话。那小子心都要碎了。他吃不下饭，脸上也没点儿笑模样。他说他知道都是他的错，虽然他以为自己采取了最好的措施，他说如果黑骊死了，以后谁也不会跟他说话了。我听了他的话，心里难受极了。我想，你就给他说一句话吧，他并不是个坏孩子啊。"

约翰停了停，慢慢地说道："你不能这样让我为难呀，托马斯。我知道他不是故意使坏，我从来没这么说过。我也知道他不是个坏孩子。可是你瞧，我自己心里也不是滋味。这匹马是我内心的骄傲，更不用说主人和夫人也把他看成掌上明珠。想到他就要以这种方式送命，真叫我无法忍受。不过如果你认为我对那孩子太严厉了，我明天可以给他说句好话——那也得看黑骊病情好转了才行。"

"好，好，约翰，谢谢你了。我知道你也不愿对他太严厉，我很高兴你总算明白了他只是无知。"

约翰回答的声音吓了我一跳。

"只是无知！只是无知！你怎么能说只是无知呢？你难道不知道，除了邪恶，无知是世界上最坏的事情吗？——天知道哪一种危害最大。人们能说'哦！我不知道，我不是故意使坏'就没事儿了吗？我想，玛莎·姆瓦什给达尔比吃镇静糖浆时，并不是故意要害死那个孩子，可是孩子死了，玛莎被判了杀人罪。"

"她也是活该，"托马斯说，"一个女人，不知道什么对婴儿好，什么对婴儿不好，就不应该去护理娇嫩的婴儿。"

"还有比尔·斯塔基，"约翰继续说，"他打扮成鬼的模样，在月光下追他弟弟，也并不是故意要把他弟弟吓傻的。可是他弟弟就是傻了。那个聪明伶俐的小家伙，那个每位母亲都会为他感到骄傲的小宝贝，现在比白痴好不了多少，而且即使活到八十岁也不会有一点好转。还有你自己，两个星期前，那些小姐把你暖房的门敞着，寒冷的东风刮进来，把你的许多植物都冻死了，你不是也很伤心嘛！"

"冻死了许多！"托马斯说，"那些娇嫩的插枝都被刮断了。我只好从头再干，最糟糕的是我不知道上哪儿能弄到新的插枝。当时我一进暖房看见那幅景象时，我简直都要疯了。"

"是啊,"约翰说,"我相信那些小姐也不是故意的,只是无知罢了。"

后面的对话我没有听见,因为药很有效,我很快就睡着了。第二天早晨,我感觉好多了。我在进一步了解这个世界时,经常会想起约翰的话。

第 20 章　乔·格林

乔·格林一天天进步。他学东西很快，而且做事那么专注、用心，约翰开始把许多事情都放心地交给他了。但就像我说过的，他个头很小，约翰很少让他带我和生姜出去锻炼。有一天，约翰赶着加斯蒂，拉着运货大车出门了，主人有一封信要立刻送到三英里外的一位绅士家，他命令乔骑着我去送信，并特别嘱咐他要骑得稳当。

信送到了，我们静静地往回走，路上经过制砖场。我们看见一辆大车装满重重的砖头，车轮死死地卡在深深的、硬邦邦的车辙里，车夫大喊大叫，并狠心地抽打两匹马。乔让我停下脚步。这情景真让人难过。两匹马拼足了力气想把大车从车辙里拽出来，可是大车纹丝不动。汗水从马的身体和腿上淌下来，马的胸脯剧烈起伏着，每一根肌肉都绷得紧紧的，可那人凶恶地用缰绳勒着前一匹马，嘴里骂骂咧咧，残暴地挥舞着鞭子。

"住手，"乔说，"不许那样抽打马，车轮卡住了，马拉不动大车。"

那人根本不听，继续挥动鞭子。

"停一停！请你停一停！"乔说，"我帮你把车上的分量减轻一点，现在他们肯定拉不动。"

"管好你自己吧,你这个放肆的小混蛋,别来管我的事!"那人怒气冲天,因为喝了酒更显得暴躁,说着又把鞭子抽了过去。乔让我掉转头来,全速朝砖场老板家里跑去。我不知道约翰是不是赞成我们跑这么快,但乔和我的想法是一致的,我们太气愤了,脚步慢不下来。

砖场老板家就在路边。乔敲了敲门,喊道:"喂!克莱先生在家吗?"门开了,克莱先生亲自走了出来。

"你好,年轻人!你好像很匆忙,老爷今天上午有什么吩咐吗?"

"不是的,克莱先生,是您砖场里有个家伙把两匹马抽打得快要死了。我叫他住手,他不听。我说我帮他把车上的东西卸掉一些,他也不听。所以我就来告诉你。求求你,先生,快去吧。"乔的声音激动得发抖。

"谢谢你,孩子。"那人说着就跑进去拿他的帽子,接着又迟疑了一下,"如果我带那家伙去见治安官,你会去做证,把刚才看到的情景说一说吗?"

"会的,"乔说,"我很愿意。"那人走了,我们迈着轻快的脚步回家。

"哎呀,你怎么啦,乔?你好像气得要命。"约翰说。男孩翻身下马。

"告诉你吧,可真把我气坏了!"男孩说,然后他激动地、连珠炮似的把刚才的事情说了一遍。乔平常是个脾气温和、不爱说话的小家伙,看到他这么生气真令人惊奇。

"好,乔!你做得对,孩子,不管那家伙有没有被传唤,你都做得对。许多人都会骑马走过,说事情跟他们无关。我要说,对于残忍和压迫的行为,每个人看见了都有责任去干涉。你做得对,孩子。"

乔这时候已经平静多了,听了约翰的赞扬感到很骄傲,给我洗蹄子、擦身子的手也格外有劲儿。他们正要回家去吃饭，门房来到马厩，要乔马上到主人的私人办公室去一趟。有一个人因虐待马匹受到传讯，需要乔去做证。男孩激动得满脸通红，眼睛闪闪发亮。"没问题！"他说。

"把自己弄得利索一些。"约翰说，乔整整领结，扯了扯上衣，走了。主人也是乡里的一位治安官，经常有案子拿来让他裁决或让他出主意。现在是大家吃饭的时间，我们在马厩里没有再听到什么消息，可是乔再次走进马厩时，我看见他情绪特别好。他友好地拍了我一下，说道："这种事情我们可不能看着不管，对不对，老伙计？"后来我们听说他的证词说得非常清楚，而那两匹马精疲力竭，身上满是遭受虐待的痕迹，那个车夫要去受审，可能被判两三个月的监禁。

看到乔身上的变化真令人欣喜。约翰开怀大笑，说乔在那个星期长高了一英寸，我也相信。他还像以前一样温和、善良，但做起事情来更加果断、坚决——好像一下子从小男孩变成了男子汉。

第 21 章　分别

我已经在这个愉快的地方住了三年,现在生活就要发生令人悲哀的变化了。我们经常听说女主人又生病了,医生三天两头来,主人神情严肃,充满焦虑。后来我们听说夫人必须立刻离开这个家,到一个温暖的国家去居住两三年。消息传遍全家上下,就像敲响了丧钟一样。每个人都很难过。主人立刻开始打点一切,准备离开英国。我们经常在马厩里听他们谈论这件事。确实,当时人们一天到晚就说这个。

约翰不声不响、闷闷不乐地干活,乔也很少再吹口哨。来来往往的事情很多,生姜和我从早忙到晚。

第一批离开的是杰西、弗洛拉小姐和她们的家庭教师。她们过来跟我们告别,还拥抱了可怜的欢蹄,就像拥抱一位老朋友一样——欢蹄确实是她们的老朋友。后来又听说对我们也做了安排。主人把我和生姜卖给了他的老朋友 W 伯爵(这位伯爵的姓氏是 W 开头的,我们暂且称他为 W 伯爵),他觉得那对我们来说是一个好去处。他把欢蹄送给了牧师,牧师想要一匹小马给布鲁姆·菲尔德夫人骑,但条件是永远不能将欢蹄卖掉,等他老到不能干活时,就把他击毙埋葬。

乔被派去照顾欢蹄并帮牧师家里干活,所以欢蹄算是有了一个好的归宿。有几个很不错的地方想要约翰，但他说要等等再说。

他们离开前的那天晚上，主人到马厩来吩咐几件事情，并最后爱抚一下他的几匹马。他似乎情绪很低落，我从他的声音就能听出来。我相信比起许多人来，我们马能从声音里听出更多的东西。

"你决定要做什么了吗，约翰？"他说，"我发现那些职位你一个都没接受。"

"是啊，先生。我已经打定主意，如果什么地方有一流的驯马师，那对我应该比较合适。许多未成年的动物因为调教不当，受了惊吓，毁了性子，要有个懂行的人就不会发生这种事了。我这个人一向和马有缘，若能帮助一些小马驹有个良好的开端，我会觉得自己在做一件善事。您认为呢，先生？"

"我想，"主人说，"在我认识的人里，没有谁比你更适合做这件事了。你懂马，马也懂你，慢慢地，你也可以自己弄个行当。我认为你已经做到最好了。如果有什么需要我帮助的，就给我写信。我会跟我在伦敦的代理人说，并把你的推荐信留给他。"

主人把名字和地址给了约翰，并感谢他这么多年来勤勤恳恳的服务，约翰觉得受不住了。"求求您，先生，别这么说，我承受不起啊。您和亲爱的夫人对我的大恩大德，我今生今世都难以报答。我们永远不会忘记您的，先生，上帝保佑，但愿将来能看见女主人健健康康地回来。一定要存有希望啊，先生。"主人朝约翰伸出手，但没有说话，他俩一起离开了马厩。

令人悲哀的最后一天到来了。门房带着重行李前一天就离开了，剩下的只有主人、夫人和夫人的女仆。我和生姜最后一次把马车拉到大厅门前。仆人搬出了靠垫、毛毯和许多别的东西。一切都安排好后，主人抱着夫人走下台阶（我就站在房子旁边，看得清清楚楚），他把夫人小心地放在车里，家里的仆人都围在旁边哭泣。

"再说一次再见吧，"主人说，"我们永远不会忘记你们大家的。"他进了马车，"走吧，约翰。"

乔跳上车，我们慢慢地穿过庄园，走过村庄，村民们都站在家门口目送我们，他们说："上帝保佑他们吧。"

到了火车站，我想女主人是自己从马车走到候车室的。我听见她用她那特有的甜美声音说："再见，约翰。上帝保佑你。"我感觉到缰绳在抖动，但约翰没有回答，也许是说不出话来。乔把马车上的东西拿下来后，约翰叫他站在旁边，自己朝站台走去。可怜的乔！他靠近我们的脑袋站着，不让别人看见他的眼泪。很快，火车喷着气驶进了站台。两三分钟后，车厢的门关上，列车长吹响了哨子，火车渐渐驶远了，只留下一团团白色的烟雾和几颗沉甸甸的心。

火车从视野中消失后，约翰回来了。

"我们再也见不到夫人了，"他说，"再也见不到了。"他接过缰绳，爬上驾驶座，和乔一起慢慢赶车回家——现在那已经不是我们的家了。

Volume Two

第 二 卷

第 22 章　伯爵府

第二天早晨吃过早饭，乔把欢蹄装在女主人那辆低矮的轻便马车里，送他去牧师住宅。乔先过来跟我们告别，欢蹄在院子里朝我们咴咴地叫。然后约翰给生姜戴上马鞍，给我套上缰绳，赶着我们前往十五英里之外的伯爵府庄园，W 伯爵就住在那里，有一幢特别漂亮的房子和宽敞的马厩。我们通过石头门洞进入院子，约翰提出要见约克先生。约克先生过了一会儿才来，他是个仪表堂堂的中年男人，一开口就让人觉得他希望别人对他言听计从。他对约翰态度友好，很有礼貌，扫了我们一眼之后，就叫来一个马夫把我们带到隔栏里，并邀请约翰去吃东西。

我们被带到一间明亮、通风的马厩，我和生姜的隔栏互相挨着，马夫给我们擦洗身子，还喂我们吃了饲料。大约过了半个小时，约翰和约克先生一起来看我们，今后我们的车夫就是约克先生了。

"我说，曼利先生，"他仔细端详了我和生姜一番，说，"这两匹马我挑不出一点毛病，不过我们都知道，马和人一样都有自己的特点，有时候需要区别对待。我想知道每匹马有什么你想告诉我的特别之处。"

"是这样,"约翰说,"我想这一带没有哪两匹马比他们更好了,但他们确实有所不同。这匹黑马性情随和,我从没见过脾气这么好的马。我想他打小就没有听过一句狠话、挨过一下鞭子,他最高兴的就是听从您的吩咐。这匹红棕马嘛,我想她肯定受过虐待,我们也从马贩子那里听说过。她来到我们家时脾气暴躁而且多疑,不过当她弄清我们家的情况后,就慢慢改掉了坏脾气。三年来,我们没看见她发一点点脾气,只要好好待她,她就是一匹再乖巧、再能干不过的好马。不过比起黑马来,她的天性要暴躁一些。牛蝇很容易就把她惹恼了,挽具稍微出点毛病,她就烦躁得要命。若受到虐待或不公正的待遇,她是一定要以牙还牙、以眼还眼的。您知道许多烈性子的马都是这样。"

"当然,"约克说,"我很理解。不过你要知道,在这样的马厩里很难要求所有的马夫都十全十美。我会尽力的,但也仅此而已。我会记住你说的关于那匹母马的话。"

他们往马厩外面走,这时约翰停下脚步说道:"我最好说一声,我们从来没对这两匹马用过短缰绳。黑马生下来就没套过短缰绳,而马贩子说就是马衔铁把红棕马的脾气给毁了。"

"噢,"约克说,"既然他们到这儿来了,那就非戴短缰绳不可。我自己喜欢松松的缰绳,伯爵大人对马是很通情达理的,可是夫人——就是另一回事了。她讲究排场,如果给她拉车的马不是被缰绳勒得脑袋扬起,她连看都不看他们一眼。我一向反对使用马衔铁,以后也会这样,不过在夫人乘车时,非要勒得紧紧的才行。"

"这真让我难过,真让我难过。"约翰说,"现在我得走了,不然就赶不上火车了。"

他走过来,最后一次挨个儿拍拍我们,跟我们说话,他的声音显得很悲伤。

我把脸贴向他,我只能用这种方式跟他告别。然后他就走了,此后我再也没有见过他。

第二天,W伯爵过来看我们。他似乎对我们的模样很满意。

"我对这两匹马很有信心,"他说,"因为我的朋友戈登先生向我介绍了他们的品性。当然啦,颜色并不般配,不过依我看,我们在乡下时用他们拉车挺合适的。在去伦敦之前,我一定要给男爵配个对儿。我相信那匹黑马骑起来肯定特别棒。"

这时约克跟他说了约翰评论我们的话。

"好吧,"伯爵说,"你一定要留神这匹母马,缰绳不要勒得太紧。我想,一开始迁就他们一点就没事了。我去跟夫人说一说。"

下午,我们被套上挽具和马车,马厩的钟敲响三点时,我们被领到房子前面。房子真气派啊,有波特维那栋老房子的三四倍大。如果马也有自己的观点,我觉得它远没有老房子亲切。两个仆人侍立在那里,穿着灰色的制服、鲜红色的马裤和白色长筒袜。不一会儿,我们听见了丝绸的沙沙声,女主人走下石阶来了。她转过身来望着我们。她是个一脸傲气的高个子女人,似乎对什么事情不满意,但她什么也没说就上了马车。我是第一次戴短缰绳,肯定很是不舒服,不能随意地低头,但它并没有把我脑袋勒得比我习惯的更高。我很替生姜担心,但她看上去很安静,似乎没什么不满意的。

第二天下午三点,我们又在门口等着,仆人也照样那么站着。我们听见丝绸的沙沙声,女主人走下石阶,用盛气凌人的口气说:"约克,你必须让这两匹马把脑袋扬得高些,他们这副样子简直没法看。"

约克下了马车,毕恭毕敬地说:"请您原谅,女主人,这些马三年没勒缰绳了,主人说更稳妥的做法是让他们一点点地适应。不过只要夫人喜欢,我可以把他们的脑袋再抬高一些。"

"就这么做。"女主人说。

约克走到我们身边,亲手把缰绳缩短了——好像是一个眼儿。其实不管好坏,一点点差别都很明显,那天我们要爬一座很陡的山,我开始明白以前听到的那些话了。我像以前那样想把脑袋往前探,拼命把马车拖上坡去。可是办不到,我不得不一直高扬着脑袋,浑身使不上劲儿,后背和四条腿都绷得肌肉紧张。回来时,生姜说:"现在你尝到滋味了吧。这还不算最糟的呢,如果事情到此为止,我也就不说什么了,因为这里的人待我们很好。不过要是再把我勒得更紧,哼,让他们留神点吧!我可受不了,也不会忍气吞声。"

日子一天天过去,缰绳一个眼儿一个眼儿地缩短,我再也不像以前那样高高兴兴地盼着套上挽具,而是心生恐惧。生姜似乎也很烦躁,但她很少说话。最后,我以为最糟糕的情况已经过去,好几天缰绳都不再缩短,我决定尽自己的力量,完成任务,不过现在干活不是快乐,而是一种无休止的折磨。没想到最糟糕的还在后头呢。

第 23 章　争取自由

有一天，女主人下来比平常稍晚一些，丝绸的沙沙声更响了。

"到B公爵（这位公爵的姓氏是B开头的，我们暂且称他为B公爵）夫人家。"她顿了顿又说，"约克，你就不能让那些马的脑袋扬起来吗？快让他们抬起头来，别再说什么迁就之类的废话。"

约克先走到我身边，马夫站在生姜的脑袋边。约克把我的脑袋拼命往后仰，把缰绳勒得紧紧的，简直让人难以忍受。然后他又去对付生姜，生姜正在不耐烦地上下甩动脑袋。现在他经常这么做。她很清楚接下来会发生什么事，所以约克刚把缰绳从鞍环上解下来准备缩短，生姜就瞅准这个空子，猛地用后腿直立起来，约克的鼻子被撞伤，帽子也被掀掉了。马夫差点儿摔倒在地。他们不约而同地立刻扑向生姜的脑袋，可是生姜对付他们两个绰绰有余，她不顾一切地前挺后仰，又踢又踹。最后，她一脚踢中了马车辕杆，重重地撞在我的后腿上，摔倒了。要不是约克迅速压在生姜脑袋上，不让她再挣扎，还不知她会闯出什么大祸来呢。约克一边还大叫道："把黑马解开！快去找辆绞车，把车杆卸下来！来人，如果缰绳解不开，就把它割断！"一个仆人跑去找绞车，另一个从宅子里拿来一把刀。马夫很快就把我从生姜和马车那里解脱出来,牵我回到隔栏。刚把我安顿好,他就跑回去帮约克。这件事使我焦躁不安,如果我有踢人、用后腿直立的习惯,我肯定就这么做了。可是我从来不会,便只好怒气冲冲地站着,腿疼得要命,脑袋仍然被鞍环勒得紧紧的,没法把它放松。我心里难受极了,真想把走近我身边的人狠狠踢一顿才解恨。

不久,生姜也被两个马夫牵进来了,她浑身是伤,垂头丧气。约克也来了,对生姜吩咐了几句便过来看我。他立刻就把我脑袋上的缰绳解开了。

"这些该死的短缰绳!"他自己嘟囔道,"我就知道很快要出娄子。主人肯定恼火得要命。可是话说回来,一个女人,当丈夫的都管不住她,我一个当仆人的能有什么办法?这事儿跟我可没关系。如果她去不了公爵夫人的园会,可怪不了我。"

约克没有当着别人的面说这番话,他们在场时,他说话总是毕恭毕敬的。这会儿,他把我全身摸了一遍,很快就发现了我蹄子上面被踢伤的地方,已经肿起来了,疼得厉害。他吩咐用海绵蘸热水给我擦拭,再敷上一些药膏。

W伯爵听说了这件事很不高兴,责怪约克不该由着夫人任性,约克回答说今后他愿意只听老爷一个人的吩咐。但我觉得事情没有什么改变,一切都和从前一样。我认为约克应该为他的马据理力争,但这事儿不由我说了算。

生姜再没有拉车,伤好了以后,W伯爵的一个小儿子说想要她,他相信生姜会成为一匹出色的猎马。而我只好继续拉车,我有了一个新的搭档,叫麦克斯,他对短缰绳早就习惯了,我便问他是怎么受得了的。

"唉,"他说,"我这是没法子啊。这会缩短我的寿命,如果你一直用短缰绳，你的寿命也会缩短的。"

"你说，"我问，"主人们知道这样对我们多么不好吗？"

"我说不好，"他回答，"不过马贩子和马医知道得很清楚。我曾经在一个马贩子手里，他让我和另一匹马搭档。照他说的，他每天把我们的脑袋扬起一点，每天扬起一点。那里有一位先生问他为什么这么做。他说：'我们不这么做，马就没有人买。伦敦人总是希望他们的马昂着脑袋，把步子抬得高高的。当然啦，这样对马很不好，但是对生意好啊。马很快就累垮了，累病了，他们就再来买一对。'"麦克斯说，"他说这番话时我就在旁边听着，你仔细想想吧。"

整整四个月，我忍受着夫人马车上那种缰绳的折磨，其中的痛苦难以描述。我可以肯定，如果时间再长一些，我的身体或脾气就支撑不住了。以前，我不知道嘴里吐白沫是什么滋味，现在，锋利的衔铁磨着我的舌头和牙床，缰绳勒着我的脑袋和喉咙，总是使我嘴里冒出一些泡沫。有人觉得这样子很好看，说："多精神的牲口！"其实，马吐白沫和人吐白沫一样，都是不正常的现象，说明身体有了不适，需要格外留意。另外，我的气管被压迫着，呼吸特别不舒服，每次干完活回来，脖子和胸脯都又酸又痛，嘴巴和舌头生疼，浑身精疲力竭，情绪低落。

在我原来的家里，我总是知道约翰和主人是我的朋友，而在这里，尽管在许多方面待我不错，可是我没有朋友。约克也许知道，而且很可能知道短缰绳给我带来多大折磨，可是他大概把这事儿看作天经地义，没有办法改变。反正，他没有做任何事情减轻我的痛苦。

第24章　安妮小姐，一匹脱缰的马

早春的时候，W伯爵和家里一部分人上伦敦去，把约克也带走了。我、生姜，还有另外几匹马留在家里备用，由总马夫负责。

留守的哈丽特小姐体弱多病，从来不坐马车出去，安妮小姐喜欢跟她的哥哥或表兄弟一块儿骑马。她是个出色的女骑手，长得漂亮，性格又温柔快活。她挑我当她的坐骑，管我叫"黑旋风"。我真喜欢安妮骑着我出去，在清冷的空气中奔跑，有时和生姜一起，有时和丽兹一起。丽兹是一匹漂亮的枣红色母马，几乎是纯种的，动作机敏，生气勃勃，先生们特别喜欢她。生姜比我更了解她，却告诉我说丽兹很胆小。当时宅子里住着一位名叫布兰提的先生，他总是骑丽兹，而且对丽兹赞不绝口。有一天，安妮小姐吩咐给丽兹配上女鞍，并把另一个马鞍放在我身上。我们走到门口，布兰提先生似乎很不安。

"这是怎么啦？"他说，"难道你厌倦了你那出色的黑旋风？"

"不是，才不是呢，"安妮小姐回答，"我好心让你骑他一次，我呢，想试试你那迷人的丽兹。你必须承认，从体格和相貌看，丽兹比我那匹马更适合女性骑。"

"听我一句劝吧，你千万别骑她，"布兰提说，"不错，她是一匹迷人的牲口,但她胆子太小了,不适合女士骑。相信我吧,她不是很安全,你还是把马鞍子换过来吧。"

"亲爱的表哥,"安妮小姐咯咯地笑着说,"请别为我操这份闲心啦。我小时候就是个女骑手了,还追着猎狗跑了许多次,虽然我知道你不赞成女士打猎,但那总归是事实,我就想骑一骑你们先生们都特别喜欢的这匹丽兹,你就行行好扶我上去吧,你一向都是我的好朋友嘛。"

没什么好说的了。布兰提小心地把她扶上马鞍,检查了一下衔铁和马勒,轻轻地把缰绳交到她手里,然后自己骑到我背上。我们正要动身,一个仆人拿着哈丽特小姐的一张便条出来了,哈丽特小姐的意思是:"能不能请他们在阿什利医生的诊所问问这件事,把答案带回来?"

村子在一英里开外,医生的诊所在村子尽头。我们一路欢快地骑到诊所的大门口。门口到宅子还有一小段路,掩映着高高的常绿树。

布兰提在门口下马,正要开门让安妮小姐进去,可是安妮小姐说:"我就在这里等你吧,你可以把黑旋风的缰绳挂在门上。"

布兰提犹豫地看着她。"不会超过五分钟的。"他说。

"哦,别这么着急。丽兹和我不会逃跑的。"

布兰提把我的缰绳挂在一根铁钉上,很快就消失在树丛间。丽兹站在几步开外的路边,背对着我。年轻的女主人松松地玩着缰绳,悠闲地坐在马背上哼着小曲儿。我听见布兰提的脚步声走到宅子前,听见他敲门。马路对面是一片牧场,牧场的门开着。就在这时,几批拉车的大马和几匹小马驹乱糟糟地跑了出来,一个男孩跟在后面,啪啪地挥着一根大鞭子。小马驹粗野、顽皮,其中一匹猛地穿过马路,一下子撞到丽兹的后腿上,不知是因为那匹蠢头蠢脑的小马驹,还是那根啪啪作响的鞭子,还是这两样加在一块儿,总之丽兹疯狂地一尥蹶子,撒腿就往前冲。事情发生得太突然,安妮小姐差点被甩下来,但她很快稳住了自己。我扯足嗓子,尖声嘶鸣呼救,一声接一声,蹄子焦急地跑着地面,并死命甩动脑袋,想挣脱缰绳。没等多久,布兰提就冲到门口,他急迫地四下张望,看见了那个飞奔的身影,这会儿已经顺着马路跑出很远了。布兰提立刻翻身上马,我不需要鞭子和马刺,因为我的心情和我背上的人一样急切。布兰提看出来了,他没拽缰绳,只将身子微微前倾,我们箭一般地追了出去。

跑了一英里半的直路,往右一拐,出现两股岔路。没等我们跑到拐弯处,安妮小姐早就不见了。她往哪边拐了呢?一个女人站在自家花园门前,手搭凉棚,急切地向道路上张望。布兰提几乎没勒缰绳,大声问:"哪条路?""右边!"那女人用手一指,喊道。我们飞也似的奔向右边那条路。安妮小姐的身影出现了,道路一拐,她又消失了。她好几次出现,又消失在我们的视线中。我们似乎永远也追不上她了。一位年迈的修路工人站在一堆石头旁,他举起双手,铁锹掉在地上。我们驶近时,他做出要说话的样子。布兰提把缰绳勒住一点。"公用牧地,公用牧地,先生,她往那儿去了。"我非常熟悉那片公用牧地。那里地面很不平整,长满了欧石楠和墨绿色的荆豆丛,偶尔有一两棵长不大的荆棘树,还有一些覆盖着短草的空地,但到处都是蚂蚁洞和鼹鼠窝,那是我所知道的最不适合快速奔跑的地方了。

刚转向公用牧地,我们就看见那个绿色的身影在前面飞驰。小姐的帽子不见了,长长的褐色头发在身后飞舞。她的脑袋和身体都往后仰着,似乎在用最后一点力气抓住缰绳,似乎这点力气也差不多快要用尽了。由于路面粗糙,丽兹的速度显然慢了许多,看来我们有希望追上她了。

刚才在公路上，布兰提让我自由奔驰。现在，他用轻巧的手和老练的眼睛，非常巧妙地驾驭我，使我的速度几乎没有放慢，我们很快就追了上去。

荒地上有一条新近挖的宽沟，挖出的泥土就马马虎虎地堆在沟的另一侧。这肯定能阻挡住她们！然而没有！丽兹几乎毫不犹豫地纵身一跳，被土堆绊倒，摔在地上。布兰提轻声道："好，黑旋风，拿出你的本事来！"他稳稳地拉住缰绳，我聚集起全部的力量，果断地跃起，一下子跃过了宽沟和土堆。

可怜的小姐一动不动地躺在欧石楠丛中，脸贴在地上。布兰提跪下身呼唤她的名字，没有回音。布兰提轻轻地把她的脸翻转过来，那张脸苍白得可怕，双眼紧闭。"安妮，亲爱的安妮，说句话啊！"可是没有回答。布兰提解开安妮的衣扣，松开她的领子，摸摸她的双手和手腕，然后站起身焦急地四下张望，寻找帮助。

不远处有两个男人在修剪草皮，他们看见丽兹狂奔，背上没有骑手，便丢下手里的活儿去追她。

听见布兰提的喊叫，他们赶了过来。前面那个男人看到这情景很发愁，问布兰提怎么办。

"你会骑马吗？"

"唉，先生，我骑马不太在行，但是为了安妮小姐，我愿意冒摔断脖子的危险，她冬天里对我妻子可好了。"

"那么我的朋友，你骑上这匹马——你的脖子会很安全——骑到诊所去，叫医生马上过来，然后再骑到宅子去，把你知道的告诉大家，叫他们把马车派来，还有安妮小姐的女仆和用人。我在这里等着。"

"好的，先生，我会尽力的，上帝保佑，亲爱的小姐会很快睁开眼睛的。"他看见另一个男人，大声喊道，"喂，乔，快去弄点儿水，叫我老婆尽快赶到安妮小姐这里来。"

说完,他笨手笨脚地爬上马鞍,喊了声"驾",两条腿一夹我的身体,就上了路。他绕了一点远路躲开宽沟。他手里没有鞭子,似乎感到很不安,但我的步子很快就解决了这个难题,他发现最好的办法就是稳坐在马鞍上,拉住缰绳,这点他很勇敢地做到了。我尽量不颠着他,但偶尔路面不平,他便大喊:"稳着点儿!哎呀!稳着点儿!"到了公路上就没事了。他在诊所和宅子里不折不扣地完成了任务,他们叫他进去喝点东西,他说:"不喝了,不喝了,我要从田里抄近路,在马车之前赶到他们那里。"

消息传开后,家里上上下下情绪激动,一片忙乱。我被牵进隔栏,摘掉马鞍和笼头,披上了盖布。

生姜被套上马鞍,十万火急地去找乔治老爷,我听见马车辘辘地驶出了院子。

似乎过了很长时间生姜才回来,我们俩独自待在马厩里。她把她看到的情况都告诉了我。

"我讲不了太多,"她说,"我们差不多一路飞奔,到那儿时正好医生也骑马赶到了。有个女人坐在地上,把小姐的头放在她的腿上。医生往小姐嘴里灌了点东西,我只听见一句话,'她没有死'。然后我被一个男人牵到了远处。过了一会儿,安妮小姐被抬上马车,我们就一起回家来了。我听见主人对一位拦住他打听情况的先生说,他相信骨头没有断,但安妮小姐还没有开口说话。"

乔治老爷带生姜去打猎时,约克摇了摇头,他说第一个季度应该有一个老练的猎手来驯马,而不是像乔治老爷这样一个马马虎虎的骑手。

生姜倒是非常喜欢,但有时她回到马厩,我看出她非常劳累,偶尔还短促地咳嗽一声。她精神抖擞,从不抱怨,但我忍不住为她担心。

事故发生两天后,布兰提来看我,他轻轻地拍拍我,对我赞不绝口。他对乔治老爷说,他相信这匹马像他一样知道安妮小姐生命垂危。"当时我想勒也勒不住他,"他说,"安妮小姐永远也别骑另外的马了。"我从他们的谈话里听出,我年轻的小姐已经脱离危险,很快就又能骑马了。这对我来说是个好消息,我盼望着幸福生活的到来。

第 25 章　鲁本·史密斯

下面我要说一说鲁本·史密斯，他在约克去伦敦时留下来负责照料马厩。没有人比他更懂行了，在他一切正常的时候，没有人比他更忠诚、更踏实可靠了。他照管起马来非常温和仔细，办法很多，而且像马医一样会给马治病，因为他曾在一家兽医诊所待过两年。他是个一流的马车夫，不管是四轮马车，还是两轮马车，他都一样得心应手。他长得好看，还有文化，举止风度都让人很舒服。我相信大伙儿都喜欢他，我们马当然更喜欢他。唯一让人感到奇怪的是他职务很低，没有像约克那样当上总马车夫。但他有一个很大的缺点，就是贪酒。他不像有些男人那样一年到头喝酒，他可以好几个星期，或好几个月滴酒不沾，然后突然，用约克的话说，"发作"一次，给自己丢尽了脸，让妻子担惊受怕，成为所有跟他有关的人的累赘。可是他太能干了，有两三次约克替他打马虎眼，不让老爷知道。有一天夜里，鲁本赶车送参加舞会的人回家，他醉得太厉害了，连缰绳都拿不住，只好由一位参加舞会的先生爬上驾驶座，送女士们回家。这件事当然没法掩盖，鲁本立刻就被开除了。他可怜的妻子和孩子们被迫搬出庄园门口那座漂亮的小木屋，到别处安身。这些都是很久以前的事，是老麦克斯告诉我的。不过在我和生姜来后不久,史密斯又被叫了回来。约克替他在老爷面前求情,老爷心肠软,鲁本又口口声声地发誓,只要住在这儿,一滴酒也不会再喝。他倒是一直说话算话,约克认为他离开后可以把事情都托付给鲁本,鲁本这样能干、勤恳,除了他没有谁更合适了。

现在已经四月初,五月份全家人就该回来了。那辆轻便的四轮马车需要整修一下,正好布兰提上校要回部队,于是便安排史密斯赶车送他进城,然后骑马回来。史密斯把马鞍带上,挑选我跑这一趟。到了车站,上校递了一些钱给史密斯,跟他告别,并说:"照顾好年轻的小姐,鲁本,别让不知天高地厚的毛头小伙子骑黑旋风——把他留给小姐骑。"

我们把马车留在工匠那儿,史密斯骑着我来到白狮酒吧,吩咐马夫喂我吃饱,等他四点钟再来骑我。来的路上我前掌的一根钉子松动了,马夫直到差不多四点钟才发现。史密斯五点钟才走进院子,说他碰到几个老朋友,要六点钟再动身。马夫跟他说了钉子的事,问是不是要检查一下马掌。

"不用,"史密斯说,"回家路上没问题。"

他说话高门大嗓,口气很冲。他居然不关心马掌,我觉得这简直不像他了,平常他对我们马掌上的钉子是否松动都非常当心的。他六点钟没来,七点钟没来,八点钟也没来,直到差不多九点,他才来叫我,声音又粗又大。他似乎脾气很坏,莫名其妙地把马夫臭骂了一顿。

酒吧老板站在门口说:"小心点儿,史密斯先生!"他怒冲冲地骂了一声算是回答。还没出镇子,就策马狂奔起来,还不时地用鞭子狠狠地抽我,其实我已经是全速奔跑了。月亮还没有升起,四下里漆黑一片。道路最近修过,石头很多,以这样的速度在上面奔跑,我的蹄掌越来越松，接近收费公路的大门时，它就脱落了。

如果史密斯头脑清醒，就会发现我的脚步有问题，但他醉得太厉害了，什么也没注意到。

过了收费站，是一条长长的道路，上面的石头是新铺的——都是锋利的大石头，任何一匹马在上面快步奔走都是很危险的。我掉了一个马掌走在这样的路上，被迫全速奔跑，背上的人不停地用鞭子抽我，并且恶狠狠地骂着粗话，催我加快速度。不用说，我那只没有马掌的脚疼得要命。蹄子一直裂到里面的嫩肉，锋利的石头把它硌得血肉模糊。

不能再这样下去了，没有哪匹马能在这种情况下稳住脚步，我脚疼得钻心，一个踉跄，猛地摔倒，双膝跪地。史密斯被狠狠地甩了出去，我跑的速度特别快，他肯定摔得不轻。我很快站稳脚跟，一瘸一拐地走到路边，那里没有石头。月亮刚刚升到树篱上方，就着月光我看见史密斯躺在离我几码远的地方。他没有爬起来，躺在那里一动不动，接着传来一声重重的呻吟。我也巴不得能哼哼几声才好，我的脚和膝盖都痛得要命，可是我们马总是一声不吭地忍受痛苦。我没有出声，只站在那里侧耳倾听。史密斯又很响地哼了一声，虽然他现在躺在皎洁的月光下，我却看不到一点动静。我帮不了他，也帮不了我自己，唉，我那么急切地听着有没有马蹄声、车轮声，或人的脚步声。那条路上本来就行人不多，在这深更半夜，恐怕等上好几个小时都不会有人来帮助我们。我站在那里观望、倾听。那是一个静谧、宜人的四月的夜晚，四下里一片寂静，只有夜莺发出一两声低低的鸣叫，一切都静悄悄的，只有月亮旁边的白云在飘浮，还有一只褐色的猫头鹰扑棱着翅膀飞过树篱。这使我想起很久以前那些夏日的夜晚，我和妈妈一起躺在格雷家农庄绿茵茵的芳草地上。

第 26 章 结局

差不多半夜的时候，我听见远处传来了马蹄声。声音忽而消失，忽而又变得清晰，越来越近。通往伯爵府的这条路要穿过伯爵家的一片树林，马蹄声就是从树林方向传来的，我希望是有人来找我们了。声音越来越近，我几乎可以肯定那是生姜的蹄音，更近了，我听出生姜拉着那辆双轮轻便马车。我大声嘶鸣，接着就听见了生姜的回音和男人们的说话声，我高兴极了。车子慢慢驶过石头路面，在地上那个黑乎乎的身影旁边停住了。

一个男人从车里跳出来，俯身查看那个身影。"是鲁本，"他说，"他不动了。"

另一个男人也跟出来，弯腰查看。"他死了，"他说，"摸摸他的手有多凉。"

他们把他扶起来，可是鲁本毫无生气，头发都被鲜血浸透了。他们又把他放回地上，过来看我。很快他们就看见了我受伤的膝盖。

"哎呀，这匹马往地上一跪，把他甩了出去！谁想得到黑马会做出这样的事情？谁也没想到他会摔倒。鲁本准是在这里躺了好几个小时！真是怪事儿，这匹马也一直没有动窝儿。"

罗伯特牵着我往前走，我跨了一步，差点儿又摔倒了。

　　"哎哟！他不光膝盖受伤，脚也坏了。你看这儿——蹄子都被割烂了，差不多快瘫倒了，可怜的家伙！告诉你吧，耐德，恐怕鲁本有点不大对劲儿。你想，他竟然让少一个蹄铁的马跑这样的石头路！如果他头脑清楚，他宁可把马骑到月亮上去，也不肯这么做的。恐怕他是又犯老毛病了。可怜的苏珊！她到我家来问鲁本有没有回来时，脸色那么苍白。她还假装一点也不担心，说了好多话替他打掩护。但还是恳求我出门来迎他。现在我们怎么办呢？尸体和马都要运回去，那可不是一件容易的事。"

　　他们交谈了一会儿，最后决定马夫罗伯特牵我回去，耐德运送尸体。把尸体弄进马车可真费劲儿，因为没有人牵住生姜，可是生姜和我一样知道是怎么回事，纹丝不动地站着，像石头一样。我之所以注意到这点，是因为生姜唯一的缺点就是不耐烦站着。

　　耐德慢慢赶着车走了，车里装着可怜的尸体，罗伯特过来又看了看我的脚，然后掏出手帕，紧紧地给我包扎好，牵着我走回家去。我一辈子也不会忘记那天的夜行，我们走了三英里多。罗伯特牵着我走得很慢很慢，我强忍着剧痛，一瘸一拐地往前走。我知道罗伯特肯定为我感到难过，他经常拍拍我，鼓励我，轻声细语地跟我说话。

　　最后，终于走到了我的隔栏，吃了一些谷子。罗伯特用湿布裹好我的膝盖，又用汤水和膏药敷在我的脚上包住，把热气吸出来，清除污垢，等天亮后马医来看。我挣扎着躺到稻草上，忍着痛睡着了。

　　第二天，兽医检查了我的伤情，说他相信关节没有受伤，这样，我以后还能继续干活，不过那伤疤算是永远留下了。我相信他们是采取了最好的治疗方法，但时间拖得很长，令我痛苦不堪。膝盖上长了他们所说的赘肉，要用腐蚀剂把它烧掉，等到伤口终于愈合了，他们又用一种滚烫的液体浇在两个膝盖前面,把毛都烫掉。他们这么做是有道理的,我想肯定没问题。

史密斯死得太突然,当时又没有人在场,就展开了调查。白狮客栈的老板和马夫,还有另外几个人,都证实说他从客栈出发时醉得不轻。收费站的人说史密斯一阵风似的疾驰而过。我的蹄铁在石头缝里被捡到了,这样案子就很明朗了,我一点责任也没有。

大家都很同情苏珊。她几乎失去了理智,一遍又一遍地说:"哦!他是多好的人——多好的人啊!都怪那该死的酒。他们为什么要卖那该死的酒呢?哦,鲁本,鲁本!"鲁本埋葬后她还一直缓不过来,可是她没有家,没有亲戚,还有六个年幼的孩子,只好再次离开高高的橡树林旁的温暖的家,到阴森森的济贫院去了。

第 27 章　走下坡路

我的膝盖恢复得差不多了，就被转到一个小牧场上待一两个月。那里没有别的牲口，我虽然喜欢那种自由，爱吃芳香的青草，但我长期以来习惯与别的马在一起，便觉得非常孤单。生姜和我成了知心朋友，我现在特别想念她。听见路上传来马蹄声，我经常高声嘶叫，却很少听到回音。一天，大门突然打开，进来的不是别人，正是亲爱的老伙计生姜！那人解下她的笼头，把她留下了。我欢叫一声朝她跑去，好友重逢我们都很高兴，但我很快就发现，把她送来同我做伴并不是为了让我们高兴。她的遭遇一言难尽，最后一次她被骑得太狠，身体毁了，送到这里来看看还能派什么用场。

乔治爵士年轻气盛，不听人劝，骑马骑得很凶，逮着机会就去打猎，根本不关心他的坐骑。我离开马厩不久，举办了一场越野赛马，他一定要参加。马夫对他说，生姜有些紧张，不适合赛马，但他不信，赛马的那天，拼命催促生姜快跑，追上跑在最前面的骑手。生姜也不肯服输，拼足了全身的力气，终于跑进了前三名，但她是逆风奔跑，而且乔治的体重对她来说也太重了，结果把后背肌肉拉伤了。

"瞧瞧，"她说，"这就是我们的下场，在年轻力壮的时候就不中用了,你被一个醉鬼毁了,我被一个傻瓜毁了,真让人难过啊。"我们都感到自己的身子骨不再是以前那样了。但这并没有破坏我们彼此相逢的快乐。我们不像以前那样跑来跑去,只是安安静静地吃草,一起躺下睡觉,在茂密的欧洲椴树荫下一站就是几个小时,两颗脑袋挨得紧紧的。我们就这样过了一天又一天,直到全家人从城里回来。

那天,我们看见伯爵由约克陪着来到牧场。我们看清楚了来人,便一动不动地站在欧椴树下,让他们过来。他们把我们仔细端详了一番。伯爵看上去很生气。

"整整三百英镑,就这样打了水漂,"他说,"而我最揪心的是我老朋友的这些马被毁掉了,他还以为他们在我这里有了好归宿呢。这匹母马再歇一年,然后再看看怎么办,但这匹黑马必须卖掉。很可惜啊,但这种膝盖可不能待在我的马厩里。"

"对,大人,当然不能。"约克说,"他去的那个地方,最好不太在乎相貌,并且他仍然能得到细心照料。我在巴斯认识一个人,是车马出租行的老板,他想要一匹价钱低的好马。我知道他对马照顾得很好。对案子的审查证明这匹马是无辜的,大人您写一封或我写一封推荐信,就可以给他担保了。"

"那你就给他写封信吧,约克。我不管卖多少钱,只关心那个地方好不好。"

他们说完就走了。

"他们很快就会把你带走,"生姜说,"我唯一的朋友也没有了,我们可能再也见不着对方了,这世界真残酷啊!"

一星期后,罗伯特拿了一个笼头走进牧场。他把笼头套上我的脑袋,把我牵走了。我和生姜没有告别,我一步步走远,我们互相大声嘶叫,生姜焦躁地在篱笆旁奔跑,一遍又一遍地叫我,直到再也听不见我的脚步声。

　　有了约克的推荐信，我被车马出租行的老板买了去。我是乘火车去的，这在我是第一次，需要很大的勇气呢。但后来我发现火车的喷气声、鸣笛声、疾驰声，甚至我站在里面的运马棚车的颤动都没有什么危险，很快就适应了。

　　到了目的地，我发现那是一个还算舒适的车马行，对我照顾得也算周到。那些马厩不如我以前的那些通风良好，感觉愉快。隔栏不是平的，都建在山坡上，我的脑袋一直被拴在食槽上，我只好整天站在斜坡上，累得要命。人们似乎不明白，如果马能站得舒服，转身自如，就能干更多的活儿。不过我吃得不错，卫生也搞得很干净。总之，我认为老板是尽力在照顾我们。他养了许多马，还有各种各样供出租的马车。有时是他的车夫驾车，有时是把马和马车租给客人自己使用。

第28章　包租的马和赶车人

在这之前，给我赶车的人至少还都是懂行的，可是在这里，我见识了各式各样蹩脚和无知的赶车人，因为我是一匹"包租的马"，被租给形形色色看上我的人。我脾气好，性情温和，踏实可靠，所以比起别的马来，租给无知的赶车人的机会更多。要说起我经历过的各种赶车方式，那话可就长了，我就略提几桩吧。

首先说说那些"手紧"的赶车人——他们认为最要紧的就是牢牢抓住缰绳，扯紧马的嘴巴，一刻也不能放松，不给马一点行动自由。他们口口声声说什么"控制住马""勒紧缰绳"，就好像马天生不会控制自己似的。

有些可怜的、年老体弱的马，长期被这样的赶车人虐待，嘴巴变得僵硬、迟钝，也许能从这种赶车方式中得到一些帮助。但是对于一匹腿脚可靠、嘴巴柔嫩、容易驾驭的马来说，这种方式不仅令人痛苦，而且十分愚蠢。

还有一些"手松"的人，他们让缰绳松松地垂在我们背上，自己的手懒洋洋地放在膝头。不用说，如果发生意外情况，这类先生是无法控制马匹的。如果马受到惊吓或被绊倒，他们就束手无策了，不能帮助马和他们自己避开灾难。对于我来说，我当然不反对这种做法，因为我既不会受惊，也不会绊倒，我一般从赶车人那里得到的只是指引和鼓励。但是，我在下山时还是愿意感到缰绳的控制，愿意知道赶车人没有睡着。

另外，马虎草率的赶车方式会使马养成偷懒的坏习惯，换了赶车人之后，要摆脱这些习惯，就必须挨鞭子，忍受一些麻烦和痛苦。戈登老爷总是让我们保持最好的步态和最好的风度。他说，宠坏一匹马，让他养成坏习惯，就像溺爱孩子一样残酷，日后都要遭罪的。

还有，这些赶车人经常都是粗心大意，从来不把马当回事儿。一天，这样一位赶车人让我拉着一辆四轮敞篷轻便马车出去，他后面坐着一位夫人和两个孩子。出发后，他笨手笨脚地甩着缰绳，不用说，还无缘无故地用鞭子抽了我几下，虽然我表现得很好。当时好多地方都在修路，即使不是刚铺好的，也有许多石头是松的。赶车人一路跟夫人和孩子们说说笑笑，谈论道路两边的风景，根本没想到需要留意一下马匹，需要拣最平整的路段。就这样，一颗石子儿扎进了我的前蹄。

这个时候，如果是戈登先生或约翰，或任何一个有经验的赶车人在场，没等我走出三步就会看出事情不对劲儿。尽管天黑了，有经验的车把式也会从缰绳感觉到我的脚步出了问题，就会下车帮我把石子儿取出来。可是这家伙只管谈笑风生，我每迈一步，石子儿就在我前蹄的蹄楔里越扎越深。那石子儿里头很尖，外头倒是圆的，大家都知道，马踩到这种石子儿是最危险的，不仅会划伤马蹄，而且很可能会把马绊倒。

那人不知道是眼睛不好使还是没长脑子，我脚里扎了石子儿，他还赶着我又走了半英里，才发现不对劲儿。这时候我已经疼得一瘸一拐，终于被他看出来了，他喊道："嘿，真是怪事儿！他们居然租给我一匹瘸马！太不像话了！"

他扔掉缰绳，挥起鞭子胡乱抽打，说："听着，别给我偷奸耍滑。还要赶路呢！装瘸偷懒，我不吃这一套。"

就在这时，一个农夫骑着一匹褐色矮脚马过来了。他脱帽行礼，让马停了下来。

"请原谅，先生，"他说，"我认为您的马有点不对劲儿，好像有个石子儿嵌进了蹄子。如果您允许的话，我来看看他的脚吧。对于马来说，这些松散的小石子儿是很讨厌、很危险的东西。"

"这匹马是租来的，"赶车人说，"我不知道他是怎么回事儿，他们居然把这样一匹瘸腿的牲口租给我，真是太不像话。"

农夫下了马，把缰绳搭在胳膊上，抬起我的左蹄。

"天哪，有个石子儿！什么瘸腿！我早想到了！"

他先试着用手把石子儿挖出来，可是石子儿嵌得太紧，他从口袋里掏出一个剔石器，小心翼翼地费了好大功夫，总算把石子儿撬了出来。

他举起石子儿说："看，这颗石子儿嵌进了你的马蹄。他没有摔倒、折断膝盖，真是奇迹了！"

"哎哟，真没想到！"赶车人说，"这可是件怪事儿！我从不知道马蹄会嵌进石子儿。"

"是吗？"农夫很鄙视地说，"这是常识啊，就连最好的马也会嵌石子儿，在这样的路上有时候是免不了的。如果你不想弄瘸你的马，就必须眼光敏锐，及时把石子儿撬出来。这个蹄子伤得很重了。"说着，他把蹄子轻轻放下，拍了拍我，"听我一句劝吧，先生，你最好暂时待他温和一些，他的脚受了重伤，不会马上恢复正常。"

说完，他骑上矮脚马，脱帽向女士行了个礼，快步走远了。

他走后，赶车人又开始甩动缰绳、抽打挽具，我明白我还得赶路，就继续往前走去，幸好小石子儿没有了，但仍然痛得厉害。

这种经历是我们包租的马经常遇到的。

第 29 章　伦敦佬

还有一种蒸汽机式的赶车方式，这些赶车人大多数都是城里来的，从未拥有自己的马，平常都是乘火车旅行。

他们一般认为，马是和蒸汽机差不多的东西，只是块头小一些。总之，他们认为只要付了钱，他们要马走多远就得走多远，要马走多快就得走多快，要马驮多重的东西就得驮多重的东西。不管道路是泥泞还是干爽，是乱石遍布还是光滑平整，是上坡还是下坡，都是一样——向前，向前，向前，必须迈着同样的步伐，一直向前，没有安慰，没有体贴。

这些人从没想过下车自己攀登一座陡峭的山。唉，他们才不会呢，已经花了钱坐车，他们就得坐车！噢，马已经习惯了！马不驮人上山，还要马有什么用呢？走路！真是天大的笑话！所以，鞭子挥得啪啪响，缰绳扯得又凶又猛，还经常恶声恶气地叫骂："快走，你这懒畜生！"又是一鞭子抽过来，其实我们一直非常卖力，叫干什么就干什么，从不抱怨，但经常很不开心，情绪低落。

这种蒸汽机式的赶车方式，摧残我们的速度比其他任何方式都快。我情愿跟一个通情达理的赶车人走上二十英里路——那样还省力些，也不愿跟这样一个家伙走十英里。

还有一点，不管下坡的路有多陡，他们很少踩刹车，所以经常发生惨重的事故。即使他们踩了刹车，到了山脚又经常忘记把刹车松开，不止一次，一个轮子还被刹皮挡着，我不得不走到下一个山坡的半山腰，赶车人才会反应过来，这对马来说是一种可怕的损伤。

这些城里人不像绅士那样不慌不忙地起步，还没出马厩的院子，他们就要全速奔跑。想要停下的时候，他们先是用鞭子抽我们，然后突然狠勒缰绳，我们被扯得差点直立起来，嘴被衔铁勒得参差不齐——他们管这叫"戛然止步"。拐弯时，他们总是拐得很急，似乎道路不分左侧右侧。

我清楚地记得一个春天的傍晚，我和罗里在外面拉了一天的车。（有客人要租一对马时，一般总是派罗里和我结对，他是一匹善良忠厚的好马。）我们用的是自己的赶车人，他总是对我们很体贴、很温和，那一天我们过得很愉快。黄昏时候，我们迈着轻快的脚步回家。道路猛地往左一拐，我们紧挨着道路这一侧的篱笆，旁边有很大的空间可以通过，赶车人就没有放慢速度。快要拐弯时，我听见一匹马和两个轮子飞快地下山朝我们奔来。篱笆很高，我什么也看不见，接着，我们就互相碰上了。我幸好位于靠近篱笆的这一边。罗里在车辕的左边，甚至没有一根辕杆可以保护他。那个赶车人径直冲向转弯处，他一看见我们，来不及勒住缰绳，避向道路的那一侧，整个儿撞在了罗里身上。马车的辕杆扎进他的胸脯，他发出一声我永远不会忘记的惨叫，踉跄着后退。另一匹马抬起前腿直立，一根辕杆断了。后来才知道，那匹马也是我们车马行里的，而那辆轻便两轮马车是年轻人都非常喜欢的。

那个赶车人就是一个无知的、任意胡来的家伙，他不知道应该走道路的哪一边，即使知道，也不在意。可怜的罗里皮开肉绽，鲜血哗哗地往下淌。他们说，如果伤口再往旁边偏一点，他就没命了。如果真是那样倒是他的福分，可怜的伙计。

过了很长时间，他的伤口才愈合，然后他被卖去拉煤车。在那些陡峭的山上爬上爬下的滋味，只有马才能体会。我见过几次那种场景，一匹马必须拉着沉重的两轮板车往山下走，那种车是没有刹车的，我现在想起来还心痛不已。

罗里受伤后，我经常和一匹名叫佩吉的母马一起拉车，她的隔栏就在我旁边。她是一匹强壮结实的牲口，颜色是鲜亮的灰兔褐色，点缀着漂亮的斑点，鬃毛和尾巴是深褐色的。她出身并不高贵，但长得很好看，性格柔顺，积极肯干。不过，她眼睛里总流露出一种焦虑的神情，我知道她肯定有什么烦恼。我们第一次出去时，我觉得她的步子很奇怪，她似乎半是走路半是小跑，每隔三四步就往前跳一小步。

这对任何一匹和她一起拉车的马来说都是很难受的，我感到很烦躁。回家后，我问她为什么要用那种古怪、别扭的方式走路。

"唉，"她心烦意乱地说，"我知道我的步子很糟糕，可是有什么办法呢？这真不能怪我。就因为我的腿太短了啊。我站起来跟你差不多高，但你的腿在膝盖以上比我长出整整三英寸呢，所以你当然步子迈得大得多，走路速度快得多。你知道，我不是自己造出来的，我倒希望是呢，那样我就能有四条长腿了。我所有的烦恼都是因为腿太短。"佩吉垂头丧气地说。

"可是怎么会呢？"我说，"看你这么结实，脾气又好，又踏实肯干。"

"唉，你不知道啊，"她说，"人人都希望跑得快，如果我赶不上别的马，除了挨鞭子没别的，鞭子，鞭子，总是鞭子。所以我不得不尽量追赶，就成了现在这种难看的、拖泥带水的步子。不过也不是一直这样，跟我第一个主人在一起时，我总是走得很悠闲，不紧不慢，他从来都不着急。他是一位年轻的乡村牧师，是个善良亲切的主人。他有两座相隔很远的教堂，工作很忙，但他从不因为我走不快而骂我、用鞭子抽我。他非常喜欢我。我真希望现在还和他在一起。可是他必须离开，到一个大城市去，我就被卖给了一位农夫。

"你知道，有些农夫是最好不过的主人，但我认为这家伙是个下三烂。他根本不关心怎么照料马，怎么把车子赶好，一心只想快跑、快跑。我使出全身的力气快跑，可还是不行，他总是用鞭子抽我。我为了跟上速度，就养成了这样一跳一跳的习惯。赶集的夜晚，他总是在客栈里待到好晚，然后赶着我飞奔回家。

"一个漆黑的夜晚，他像往常一样疾驰回家，突然，轮子撞上了路上一个沉甸甸的大家伙，马车一下子就翻了。他被甩了出去，胳膊断了，好像还断了几根肋骨。反正，从此我就不再跟他一起生活了，我一点也不感到难过。不过你也知道，只要人们一心追求速度，对我来说哪儿都是一样。我真希望我的腿长一点！"

可怜的佩吉！我为她感到很难过，却无法安慰她，因为我知道速度慢的马跟速度快的马一起拉车，是一件多么艰难的事。所有的鞭子都落在他们身上，他们自己也没有办法。

她经常去拉四轮敞篷轻便马车，几位女士非常喜欢她，因为她性情这样温和。在这之后不久，她就被卖给了两位女士，她们自己驾车，想要一匹安全的好马。

我在乡间遇见过她几次，稳稳地、不急不慢地迈着步子，看上去那么快乐和满足。我很高兴看到她，她应该拥有一个好的归宿。

她走了以后，另一匹马接替了她的位置。这匹马很年轻，但胆子小，容易受惊，名声不太好，为此失去了一个好地方。我问他为什么容易受惊。

"唉，我也不知道，"他说，"我小时候就很胆小，有几次受了很严重的惊吓，如果我看见奇怪的东西，总要转眼去打量一下——你知道的，我戴着眼罩，只有把脑袋转过去才能把东西看清楚、弄明白——可是主人就总是用鞭子抽我，这当然使我不知所措，并没有减轻我的害怕。其实，他只要让我静静地把东西看个仔细，知道没有什么会伤害我，就什么事儿也不会有，我也就慢慢习惯了。一天，一位老绅士跟他一起骑马，一大张白纸或破布被风刮到我的身边。我大吃一惊，往前奔窜。主人像往常一样狠狠地用鞭子抽我，但老人大声喊道：'你错了！你错了！马受惊的时候，你绝不能用鞭子抽他。他受惊是因为害怕，你这样只会使他更加害怕，使他的习惯更加难改。'所以我想并不是所有的人都这么做的。我相信我也不想受惊，但如果不让我熟悉那些东西，我怎么会知道什么是危险的，什么是安全的呢？我知道的东西，我是从来不害怕的。比如，我小时候待的那个庄园里有鹿，我熟悉它们，就像熟悉牛和羊一样。其实鹿并不常见，我知道许多有头脑的马看见鹿会害怕，经过有鹿的围场时总是又踢又咬，闹出很大的动静。"

我知道这位伙伴说的是真话，我真希望每匹小马都能拥有格雷农夫和戈登老爷那样好的主人。

当然啦，我们有时也会遇到懂行的赶车人。我记得一天早晨，我被套上一辆轻便马车，赶到帕特内大街的一幢宅子前。两位先生走了出来。其中高个子的那位走到我的脑袋边，看了看衔铁和笼头，又用手移动一下颈圈，看看是不是合适、舒服。

"你认为这匹马需要马嚼子吗？"他对马夫说。

"是啊,"马夫回答道,"我承认他不戴马嚼子也能走得很好,他的嘴特别好使,他心思敏感细腻,却没有一点坏心眼。但我们通常发现人们都喜欢马嚼子。"

"我不喜欢,"那位先生说,"最好把它拿掉吧,把缰绳系在下巴上。要走长路,嘴巴不受拘束可是很重要的,是不是,老伙计?"他拍着我的颈子说。

说完,他接过缰绳,两人上了马车。我现在还能记得他怎样温和地叫我转身,不松不紧地拉着缰绳,让鞭子轻轻落在我的背上,我们就这样出发了。

我仰起脖子,迈着最精神的脚步。我发现我身后的人真正了解应该怎样驾驭一匹好马。我感觉就像回到了过去,心里快活极了。

这位先生很喜欢我,试着骑了我几次之后,他说服我的主人把我卖给他的一位朋友,那人想要一匹安全的、性情随和的马供他骑。就这样,到了夏天,我被卖给了巴里先生。

第 30 章　小偷

我的新主人没有结婚，他住在巴斯，生意很忙。他的医生建议他骑马出去锻炼锻炼，所以他把我买了去。他在离住所不远的地方租了一个马厩，并雇了一个叫费尔奇的人当马夫。我的主人对马懂得很少，但他待我不错，要不是他许多东西不懂，我本来可以得到一个很舒服的地方。他吩咐给我吃最好的干草，里面混着大量的燕麦、碎豆子、麸皮，还有野豌豆或黑麦草，他认为这些都是我需要的。我听见主人下了这样的吩咐，便知道这里的饲料又好又充足，以为自己要过上好日子了。

几天下来，一切都好。我发现我的马夫很懂行，把马厩收拾得干干净净，空气通畅，给我擦洗得很彻底，而且脾气永远都是那么温和。他曾经在巴斯一家大旅馆里当过马夫。他辞了那份差事，现在种一些瓜果蔬菜拿到集市上出售，他妻子养鸡鸭兔子卖钱。过了一阵，我觉得我的燕麦越来越少，豆子还有，但里面掺的是麸皮而不是燕麦，燕麦的分量很少，肯定还不到原来的四分之一。两三个星期后，这在我的体力和精神上开始反映出来了。草料虽然很好，但如果没有谷物，是不能维持我的身体健康的。但我无法抱怨，也不能让别人了解我的需要。就这样过了大概两个月。我真纳闷儿主人怎么没有看出事情不对劲儿。后来有一天下午，他骑马到乡下去看一位朋友，那是一位乡绅，住在通往维尔斯的路上。

那位乡绅看马的眼光很敏锐，他问候了朋友，将目光落在我身上，便说：

"巴里，我觉得你的马没有你刚得到他时那么精神了，他还好吗？"

"应该没问题吧，"主人说，"但是他不像以前那么活跃了。马夫告诉我，马一到秋天都会发蔫，无精打采，所以也只能这样了。"

"秋天，胡说八道！"乡绅说，"这才是八月呀。你那里活儿轻巧，伙食又好，即使是秋天，他也不应该像这样走下坡路呀。你拿什么喂他呢？"

主人告诉了他。乡绅慢慢摇了摇头，开始抚摸我的身体。

"我亲爱的老伙计，我不敢说是谁吃了你的谷子，但如果真是你的马吃了，那就算我看走了眼。你骑马骑得很快吗？"

"不快，很慢的。"

"那你把手放在这儿，"说着，他的手抚过我的脖子和肩膀，"他就像一匹刚从草地里出来的马一样温热潮湿。我建议你多多留意你的马厩。我不愿意疑神疑鬼，感谢上帝，我也没有理由这样做，我相信我手下的人，不管在眼前的还是不在眼前的。但确实有一些卑鄙的混蛋，丧心病狂，偷哑巴畜生的口粮。你必须留意一下。"说着，他对过来牵我的他家仆人说，"让这匹马好好吃一顿捣碎的燕麦，别限制他。"

"哑巴畜生！"没错，我们确实是哑巴畜生。如果我会说话，就可以告诉主人他的燕麦去了哪里。每天早晨六点钟左右，马夫就带着一个小男孩来了，那男孩总是提着一只带盖的篮子。他和他爸爸一起进了存放谷子的马具房,门没有关严时,我可以看见他们把箱子里的燕麦装满一只小口袋,然后小男孩就拿走了。

五六天后的一个早晨,小男孩刚要走出马厩,一个警察就走了进来,紧紧地抓着男孩的胳膊,另一个警察也跟了进来,从里面把门锁上了,说:"告诉我你爸爸把兔子饲料放在哪里了。"

小男孩吓得哭了起来,可是他没路可逃,只好领着他们朝谷仓走去。警察在那里找到一个空袋子,跟小男孩篮子里那只装满燕麦的袋子一模一样。

这个时候,费尔奇正在擦洗我的脚,他们很快就看见了他,他嚷嚷得很厉害,但他们还是把他押到了拘留所,小男孩也一起去了。我后来听说,小男孩没被判罪,大人被判坐牢两个月。

第 31 章 骗子

主人没有马上适应，不过几天之后，我的新马夫就来了。他个子高高的，长得倒蛮好看，但要说有骗子以马夫的形象出现，那就是这位艾尔弗莱德·斯穆克了。他对我非常和蔼可亲，从来不虐待我，主人在的时候，他还经常抚摸我，拍拍我。他总是用水梳洗我的鬃毛和尾巴，用油擦亮我的蹄子，才带我出门，让我显得很精神。但是他从不给我洗脚，不注意我的蹄铁，也不清洗我的全身，就好像我只是一只奶牛。他听任我的衔铁生锈，马鞍潮湿，尻带僵硬。艾尔弗莱德·斯穆克觉得自己长得特别英俊，每天花许多时间对着马具房里的一面小镜子打理他的头发、胡子和领结。主人跟他说话时，他总是回答"是，先生；是，先生"——每说一个字就脱帽行礼。大家都认为他是一个非常好的年轻人，巴里先生遇到他真是太幸运了。要我说，他是我看见过的最懒惰、最自以为是的家伙。当然啦，不受虐待是很重要的，但一匹马所需要的远不止这个。我待在散放圈里，如果他不是这么懒惰，不肯打扫，本来应该是很舒服的。他从来不把稻草清除干净，稻草堆下散发出来的气味实在难闻，腾腾的雾气熏得我眼睛又痛又肿，我的胃口也不如以前了。

一天，主人进来说道："艾尔弗莱德，马厩的气味太难闻了，你能不能把那个隔栏好好刷洗一下，多用些水冲冲？"

"好的，先生，"他脱帽行礼，说，"只要您愿意，我可以这么做。但是往马厩里浇水是很危险的，马很容易感冒，先生。我可不想伤害他，不过如果您愿意，我可以这么做，先生。"

"噢，"主人说，"我不愿意让他感冒，但我实在不喜欢这马厩里的气味。你认为排水管没问题吧？"

"对啦，先生，您算说对了，我认为排水管有时候确实发出一股臭味儿，恐怕出毛病了，先生。"

"那就请泥水匠来看看吧，"主人说。

"是，先生，遵命。"

泥水匠来了，撬开许多砖头，但没有发现什么故障。于是抹了一些石灰，收了主人五个先令，而我隔栏里的气味和从前一样难闻。这还不算，我长期站在潮湿的稻草堆上，脚出了毛病，疼痛难忍，主人经常说：

"我真不明白这匹马是怎么回事，他走路拖泥带水的。我有时真担心他会绊倒。"

"是啊，先生，"艾尔弗莱德说，"我带他出去遛腿时也注意到了。"

实际上，他很少带我出去遛腿，主人忙的时候，我常常一站就是好几天，腿脚得不到舒展，而喂我吃的东西却和干重力活时一样多。这损害了我的健康，使我有时臃肿懒惰，而更多的时候是焦虑、燥热。他从来不给我吃一顿绿色饲料或麸皮糊糊败败火，因为他不仅自负，而且无知。他不让我遛腿，不给我改变伙食，而是逼我吃丸药、喝药水，除了灌药的时候难受得要命，这些药还让我感到很不舒服。

有一天，我的脚实在太疼了，我驮着主人走过一些新铺的石头，重重地绊了两下，主人从兰斯唐进城，就在兽医站停了停，让兽医看看我到底出了什么毛病。兽医挨个儿抬起我的脚看了看，站起来掸了掸手，说道：

"您的马得了蹄叉腐烂，而且很严重。他的脚红肿得很厉害，幸好他没有摔倒。我真奇怪您的马夫怎么没有看出来。这种病一般在肮脏的、垃圾得不到清理的马厩里才会有。如果您明天把他送来，我给他治疗一下蹄子，再给他一些药膏，告诉您的马夫怎么给他涂抹。"

第二天，我的脚被彻底清洗，塞了一些浸过特效药水的麻布，那滋味可真难受。

兽医吩咐每天都要把我隔栏里的垃圾清理出去，让地面保持清洁，还让我吃麸皮糊糊和一些绿色饲料，不吃太多的谷子，直到我的脚恢复如初。照料过后，我很快又精神焕发了，巴里先生两次被马夫欺骗，心里很生气，不想再养马了，要用马的时候就去租一匹。就这样，我一直养到腿伤痊愈，就又被卖掉了。

Volume Three

第 三 卷

第 32 章　马市

对于那些没东西可输的人来说，马市无疑是一个非常有趣的地方，不管怎么说，是可以一饱眼福的。

刚从乡下沼泽地来的成群结队的小马，一群群邋里邋遢、跟欢蹄差不多高的威尔士矮种马，几百匹各种各样拉车的大马，有些马的长尾巴编成辫子，系上鲜红的绳子；还有许多像我这样的马，模样英俊，出身高贵，却因为意外或疤痕，呼吸功能不正常，或其他毛病而沦为中流的马。也有一些正当年的好牲口，做什么都合适，他们甩开腿脚，很有气派地展示他们的步子，带着缰绳快步奔跑，马夫跟在旁边。可是在不引人注意的地方，有着大批的可怜虫，辛苦的劳作损害了他们的健康，每走一步都膝盖弯曲，后腿打战，还有一些特别潦倒落魄的老马，下唇耷拉着，耳朵沉甸甸地贴在脑后，就好像生活不再有快乐，不再有希望。有些马瘦得可怕，根根肋骨都清晰可见，还有些马的背部和臀部伤痕累累。对于一匹马来说，这样的情景真使他黯然神伤，谁知道自己会不会落到这种境地呢？

人们漫天要价，就地还钱。如果一匹马也能表达自己的思想，我敢说马市上的坑蒙拐骗比一个聪明人所能讲述的还要多。我跟两三匹结实的、一看就很能干的马放在一起,许多人都来看我们。男人们一看见我的膝盖破了,就把目光移开了,尽管我的主人一再发誓我只是不小心在马厩里摔了一跤。

先把我的嘴掰开,看看我的眼睛,再顺着四条腿往下摸,然后苛刻地揣摸我的皮肉,再试试我的步子。人们做这些事情的方式真是千差万别。有的人大大咧咧、漫不经心,就好像对待一块木头,而有的人则温和地用手抚摸马的身体,不时地轻拍一下,仿佛在说"请原谅"。不用说,我从买家对待我的态度上可以判断他们的为人。

有一个人,如果他愿意买我,我肯定会很幸福。他不是绅士,也不是那种自诩为绅士的咋咋呼呼、华而不实的男人。他个头矮小,但体格结实,每个动作都很敏捷。从他摆弄我的手法,我一下子就知道他对马很在行。他说话很温和,灰色的眼睛里有一种亲切而愉快的神情。说起来奇怪——但确实如此——他身上那股清爽干净的气息使我对他产生了好感。没有我所讨厌的烟味酒味,而是一种很清新的气味,像是刚从干草棚里出来。他出价二十三英镑买我,被拒绝了,他就走了。我看着他的背影,可是他不见了,接着一个相貌粗俗、嗓门高大的男人过来了。我真害怕他把我买去,还好,他也走开了。又过来一两个人,但都无心买马。后来,相貌粗俗的汉子又回来了,出价二十三英镑。双方讨价还价,互相咬得很紧,卖主开始考虑卖不到他想要的价格,必须往下降降。就在这时,灰眼睛男人又回来了。我忍不住把脑袋探向他,他亲切地抚摸我的脸。

"老伙计,"他说,"我认为我们很合适。我出价二十四镑买他。"

"二十五,您牵走。"

"二十四镑十便士,"我的朋友不容置疑地说,"没有那六个便士——卖还是不卖?"

"成交，"卖主说，"信不信由您，这匹马的质量没的说，如果您买去出租，可算是捡了个大便宜。"

当场交了现钱，新主人接过我的缰绳，把我领出市场，来到一家客栈，马鞍和笼头已经准备在那里了。他给我饱饱地吃了一顿燕麦，我吃的时候他就在旁边看着，一会儿自言自语，一会儿跟我说话。半小时后，我们就动身去伦敦了。走过一条条令人愉快的乡间小路，最后来到伦敦城的大街上，我们马不停蹄，黄昏时分到了市中心。煤气灯已经点亮，左边是街道，右边也是街道，有的街道纵横交错，一眼望不到头。我觉得似乎永远也走不出这些街道了。最后，我们来到一条街上一个长长的出租车马行，我背上的男人用愉快的腔调喊道："晚上好，长官！"

"你好！"一个声音大声说，"你买到好马了？"

"我想是吧。"我的主人说。

"希望他给你带来好运气。"

"谢谢你，长官！"说完继续往前。很快，我们拐进一条小路，走到一半又拐进一条很窄的巷子，巷子一边是破旧的房屋，另一边似乎是马车房和马厩。

主人在一座房子前勒住缰绳，吹了声口哨。门一下子就打开了，里面奔出一个年轻女人，后面跟着一个小女孩和一个小男孩。主人下马时，受到了非常热情的问候。

"哈利，好孩子，把门打开，妈妈给我们把灯拿来。"

接着，在马厩的院子里，他们把我围在中间。

"他脾气温和吗，爸爸？"

"温和，多丽，像你的小猫一样温和。来拍拍他。"

那只小手立刻就毫不畏惧地拍我的肩膀，那感觉真美妙啊！

"我给他弄一些麸皮糊糊,你把他擦洗干净。"妈妈说。

"好的,波利,他正需要这个。我知道你肯定也为我准备了美味的糊糊。"

"香肠布丁和苹果酥饼!"男孩喊道,大家都笑了起来。我被领到一间马厩里,气味清爽,铺了许多干稻草,我饱饱地吃了一顿晚饭,躺了下来,心想我就要过上幸福生活了。

第 33 章　一匹伦敦出租马

我的新主人名叫杰瑞米·巴克,但大家都叫他杰瑞,我也这样。他妻子波利是一个男人最理想的伴侣。她胖胖的,是个整洁、干净的小妇人,柔顺的黑头发,黑眼睛,还有一张愉快的小嘴巴。男孩十二岁,个子高高的,开朗坦率、脾气很好,小多洛西(他们都叫她多丽)简直是她妈妈的翻版,刚刚八岁。他们一家人相亲相爱,我从没见过这样幸福、快乐的家庭。杰瑞自己有一辆轻便两轮马车和两匹马,他自己赶车,自己料理。另一匹马名叫"队长",是白色的、骨架子很大的高头大马。他现在老了,但年轻时肯定特别棒。他仍然习惯地高昂着脑袋,扬起脖子。总之,他浑身上下都显示他是一匹出身高贵、很有教养的尊贵的老马。他告诉我,他早年参加过克里米亚战争,属于一位骑兵军官,经常领导整个兵团。这些我后面还会说到。

第二天早晨,我被打扮一新,波利和多丽走进院子看我,和我交朋友。哈利一大早就帮爸爸干活,他发表他的观点,说我会成为一个"好把式"。波利给我带来一片苹果,多丽拿来一块面包,我像是又变成了过去的那个"黑骊"。又得到爱抚,听到温柔的说话声,真是莫大的享受啊,我也尽量让他们看出我愿意跟他们友好相处。波利觉得我模样英俊，要不是膝盖有伤，这么好的马用来拉出租马车真是太可惜了。

"当然啦，没有人告诉我们这是谁的错，"杰瑞说，"既然不知道，我就暂且判定不是他的责任。因为我从没骑过比他更稳健、利索的马。我们就用原来那匹马的名字，叫他'杰克'——行吗，波利？"

"行，"波利说，"我愿意让一个好名字一直用下去。"

队长一上午都出去拉车。哈利放学后来喂我吃东西喝水。下午，我被套上马车，杰瑞不厌其烦地查看颈圈和笼头是不是合适、舒服，就好像约翰·曼利又回来了。臀部的皮带松开了一两个眼，一切都合适了。没有短缰绳，没有马勒，只有一个普普通通的马嚼子。真是谢天谢地！

拉车穿过小街，来到杰瑞那天说"晚上好"的大车马行。在这条宽敞的街道上，一边是高高的房子，漂亮的橱窗，另一边是古老的教堂和教堂庭院，围着铁栅栏。铁栅栏旁排列着许多等候顾客的出租马车，地上散放着一些干草。几个男人站在一起聊天，还有几个人坐在箱子上看报纸，有一两个人抓起几把干草喂马，给马喝水。我们停在最后一辆马车后面。两三个男人聚拢过来，开始端详我，评论我。

"很适合出殡啊。"一个说。

"太漂亮了，"另一个很有见识地摇摇头说，"总有一天早晨你会发现出了故障，不然我就不叫琼斯。"

"咳，"杰瑞愉快地说，"我可不想找事儿，除非事儿来找我，是不？即使事儿来了，我也要尽量保持乐观。"

这时过来一个宽脸膛的男人，穿一件灰大衣，有大大的灰披肩和大大的白纽扣，戴一顶灰帽子，脖子上松松地系着一条蓝色羊毛围巾。他的头发也是灰的，却是个看上去挺快乐的家伙，别人都闪身给他让出路来。他把我上下打量了一番,好像曾经想买我似的,然后咕哝着站起来,说:"他对你非常合适,杰瑞。我不在乎你花了多大价钱,他值。"这样,我的地位在车马行算是确定了。

这个男人名叫格兰特,大家都叫他"灰衣格兰特"或"格兰特长官"。在那些人里,他在车马行待的时间最长,喜欢挺身而出给人调解矛盾,解决问题。一般来说,他是个脾气随和、通情达理的人,但有时喝酒喝高了,脾气有点暴躁的时候,便谁也不愿接近他了,他那拳头砸下来可不是闹着玩儿的。

做出租马的第一个星期,日子很难熬。我对伦敦还没有适应,噪声,街道上车水马龙,人群熙熙攘攘,我必须在各种大小车辆里穿行,这真使我又烦恼又痛苦。但我很快发现,我可以完全信赖我的车夫,我便放松下来,渐渐习惯了。

我从没见过杰瑞这么好的车夫,更可贵的是,他处处替马着想,就像替他自己着想一样。他不久就发现我踏实肯干,不惜力气,就再也不朝我挥鞭子了,只在催我上路时才用鞭梢轻轻拂过我的后背。不过他一拿起缰绳我就知道该出发了,所以我相信他的鞭子更多的是插在腰间而不是拿在手里。

过了不久,我和主人就互相了解,非常默契了。在马厩里也是这样,他尽量让我感到舒服。马房是老式的,大部分建在坡上,但主人在隔栏后面安了两根活动的横杆,晚上我们休息时,他就取下我们的笼头,安上横杆,让我们随意地转身、站立,非常舒服。

杰瑞把我们收拾得很干净,变着花样给我们做好吃的,食物很丰盛。而且,他总是给我们准备大量的清水,白天晚上都放在我们身边,当然,我们回到马厩身上还很热的时候除外。有人说不应该让马随心所欲地饮水,其实我知道,如果随时让我们饮水,我们一次只会喝一点，这样比起不让我们喝水，让我们焦渴难耐、一次喝掉半桶水来，对身体更有好处。有些马夫自己回家喝酒去了，让我们守着干草和燕麦一待就是几个小时，没有一点东西润润嗓子。然后我们就拼命往肚子里灌水，这样对呼吸道很有害，有时还会胃疼。在这里最棒的事情就是星期天可以休息，一星期干活这么辛苦，多亏那一天能歇口气，不然我们恐怕就支撑不住了。而且，我们休息的时候可以互相做伴。就在那段日子，我听同伴讲述了他的遭遇。

第 34 章　老战马

队长是作为战马调教和训练的，他的第一位主人是参加过克里米亚战争的骑兵军官。队长说他非常喜欢和别的战马一起训练，齐步奔跑，同时向左转或向右转，听到口令便停住脚步，听到鼓声、看见军官的信号便全速往前冲。他年轻时是一匹深铁灰色的花斑马，人们都觉得他相貌十分英俊。他的主人是一位勇敢的年轻人，对他喜爱有加，从一开始就特别关心他、照顾他。队长告诉我，他觉得一匹战马的生活非常快乐，可是到乘一艘大船漂洋过海时，他差点就改变了主意。

"那件事可怕极了！"他说，"我们当然不可能从陆地直接走到船上，他们只好用结实的皮带托住我们的身体，然后不管我们怎么挣扎，让我们四脚悬空越过水面，落到大船的甲板上。到了船上，我们被安置在封闭的小隔栏里，很长时间看不到蓝天，腿脚也伸展不开。有时候风大浪急，大船剧烈颠簸，我们也跟着东倒西歪，难受极了。

"这磨难终于结束了，我们又被吊起来，悬空运到陆地。我们的脚重新踏在了坚实的土地上，真是太高兴了，又是喷鼻息，又是大声欢叫。

"我们很快就发现，这个国家和我们自己的国家很不一样，除了打仗，我们还要忍受许多困难。但许多人都对他们的马非常爱护，在风雪、潮湿等等的混乱之中，尽量让他们的马感到舒服。"

"那么打仗怎么样呢？"我说，"这不是比别的事儿更糟糕吗？"

"咳，"他说，"我说不好。我们总是喜欢听鼓点声、喜欢被召唤，迫不及待地想要出发，而有时候我们不得不原地待命，一等就是好几个小时。一声令下，我们总是精神抖擞、兴致勃勃地往前冲，就好像周围没有炮火、刺刀和子弹似的。我相信，只要我们感觉到骑兵稳稳地坐在马鞍上，手里牢牢地握着缰绳，我们就谁也不会畏惧，哪怕恐怖的炮弹在空中旋转，炸成无数个碎片。

"我跟着尊贵的主人参加了许多战役，毫发无损。我看见战马中弹倒地，被长矛刺穿，被军刀砍出可怕的伤口。我们看见他们战死沙场，或奄奄一息，遭受伤痛的折磨，但我并不为自己担心。我主人鼓励战士时愉悦的嗓音，使我觉得他和我都不可能丧命。我对他真是打心眼儿里信赖，有他驾驭着我，我冲向炮口里也不会畏缩。我看见许多勇敢的战士被砍倒，还有许多受了致命的重伤，从马上跌落。我听见垂死者的惨叫和呻吟，我在布满鲜血的、滑腻的战场上奔驰，经常左右躲闪，避免踏到受伤的人和马，可是我心里从不觉得害怕，直到那个可怕的日子——那个日子我一辈子都忘不掉。"

说到这里，队长停顿了一会儿，深深吸了口气。我等待着，然后他继续往下说。

"那是一个秋天的早晨，我们骑兵团像平常一样，天亮前一个小时就集合，整装待命了，也许是打仗，也许是等待。战士们都站在马旁等候命令。天渐渐亮起来，军官们似乎很兴奋，没等完全天亮，我们就听见敌人开火的声音。

"这时,一位军官骑马过来,命令士兵上马,一眨眼的工夫,每个人都坐在马上,每匹马都情绪激动,迫不及待地等着骑手拉缰绳或踢马肚。但是我们都经过良好的训练,最多只把衔铁咬得咯咯作响,或不时不耐烦地甩甩脑袋,但不能说我们焦躁不安。

"我亲爱的主人和我排在队伍前面,大家警惕地、一动不动地骑马待命时,主人撩起我的一缕散乱的鬃毛,放在合适的地方,用手往下捋顺,然后他拍拍我的脖子,说:'今天我们要有一场恶战,拜亚尔,我的骏马。我们要像以前一样完成使命。'我觉得,他那天早晨比以前更仔细地抚摸我的脖子,默默地,一遍又一遍,似乎他心里在想着别的什么事儿。我真喜欢他的手抚摸我脖子的感觉,我骄傲而幸福地扬起脑袋,但身体一动不动,我了解他所有的情绪,知道他希望我什么时候安静、什么时候撒欢。

"我说不清那天发生的所有事情,就说说我们的最后一次冲锋吧,那是在敌军的大炮前穿过一道山谷。这个时候,我们早已经习惯了怒吼的重机枪,爆响的滑膛枪,还有就在我们周围嗖嗖飞过的子弹。可是我从来没有见识过那样的战火。子弹和炮弹从前后左右朝我们袭来。许多勇敢的战士倒下了,许多战马摔倒,将骑手甩在地上,许多没有骑手的马惊慌逃窜,离开了队伍,接着看到自己孤零零的无人驾驭又吓坏了,赶紧挤进老伙伴们中间,和他们一起冲锋陷阵。

"尽管那里一片恐怖,但没有谁停下脚步、退缩逃跑。队伍每分钟都在缩小,战友倒下了,我们挤在一起,继续前进。我们的脚步不仅没有迟疑、打颤,越是接近炮火,我们的速度反而越是迅疾。

"我的主人,我亲爱的主人,高举右臂给战友们助威,这时一颗炮弹嗖嗖地从我脑袋边飞过,击中了他。我感觉到他中弹后晃了一下,但没有喊叫。我想减速,但宝剑从他右手掉落,左手的缰绳也松了，他从马鞍后面滑下去，摔在地上。别的骑兵冲到我们前面去了，我被他们卷裹着，被迫离开了那个地方。

"我真想留在他身边，别把他留在那里，被奔驰的战马践踏。可是没有用。我没有主人、没有朋友，独自待在大屠杀的战场，突然间，恐惧占据了我的内心，我禁不住浑身发抖，抖得那么厉害。我见到别的马拼命跟上队伍，跟大家一起奔跑，但士兵们挥舞的宝剑使我无法向前。就在这时，一位死了战马的骑兵拉住我的笼头，骑到我身上，我就带着这位新主人再次冲锋了。可是我们英勇的队伍寡不敌众，那些在枪林弹雨中幸存的人，现在又从那片战场上策马奔回来了。有些马受了重伤，失血过多，简直无法动弹。还有些高贵的马拖着三条腿走路，勉强向前。还有的马后腿中弹，挣扎着想用前腿站起来。战役结束后，伤员被抬出来，死者被埋葬。"

"那些受伤的马呢？"我说，"就让他们等死吗？"

"不，部队里的马医带着手枪到战场上，开枪打死那些废了的马，有些马受了轻伤，就带回去治疗，但是，那天早上出去征战的高贵而积极的战马，却大部分都没有回来！我们那个马厩里，生还的马匹只有四分之一。

"我再也没有看见我亲爱的主人。他肯定是从马鞍上掉下去死了。我从来没有那样爱过别的主人。我后来又参加过许多战役，只有一次受伤，而且伤得不重。战争结束后，我又回到英国，像出发时一样结实强壮。"

我说："我听见人们谈论战争，就好像那是一件很美好的事情。"

"唉！"他说，"他们大概没有亲眼见过。当然啦，如果没有敌军，只是出操、训练、作战演习，那倒是挺好的。是啊，那是很有意思的。可是，看到成千上万勇敢、优秀的士兵和战马死去或留下终身残疾,那就完全不一样了。"

"你知道他们为什么打仗吗?"我说。

"不知道,"他说,"这就不是一匹马能弄懂的了,但既然需要不远万里、漂洋过海地去杀死他们,那些敌人肯定特别、特别地坏。"

第 35 章　杰瑞·巴克

我从没见过比我的新主人更好的人。他又善良又仁慈，像约翰·曼利一样坚持正确的事情，而且性格那么愉快、随和，很少有人能跟他吵架。他很喜欢作一些小曲儿自己唱唱。其中有一首他特别爱唱：

　　来吧，爸爸和妈妈，
　　来吧，哥哥和妹妹，
　　来吧，你们大家，
　　互相关心、互相帮助。

他们确实是这样。哈利对马厩里的活儿和大孩子一样麻利，而且总是抢着干活。波利和多丽早晨总是来帮着照料出租马车——掸灰，拍打坐垫，擦玻璃，杰瑞打扫院子，哈利擦拭挽具。他们总是说说笑笑，非常快乐，比起听见恶声恶气的咒骂来，我和队长的心情就要好得多了。他们总是起得很早，杰瑞经常说：

　　如果你在早晨

浪费了两分钟，
那么整整一天，
你都没法追回。
你会着急慌乱，
你会忙碌焦虑，
你永远失去了，
失去了两分钟。

他受不了无所事事、浪费时间。有些人总是磨磨蹭蹭地迟到，希望出租马车赶得飞快，追上他们浪费的时间，主人看到这样的人总是气得要命。

有一天，两个慌慌张张的男人从马厩附近的一家小酒店出来，喊杰瑞。

"过来，出租车！赶快，我们来不及了。加把劲儿，快把我们送到维多利亚车站，赶一点钟的火车！你会多得一个先令。"

"我会按正常的速度赶车，先生们，先令再多，也买不来那样拼命地赶路。"

莱瑞的马车停在我们旁边，他一把拉开车门，说："请吧，先生们！坐我的车吧，我的马会把你们准时送到那里。"他给他们关好车门，又朝杰瑞眨眨眼睛，说，"跑得快一点，他的良心就不允许了。"然后猛抽那匹疲惫的老马，老马勉强以最快的速度出发了。杰瑞拍拍我的脖子："不，杰克，一个先令买不来那样的东西，是不是，老伙计？"

杰瑞虽然坚决反对让马疲于奔命，但为了讨好那些粗心大意的人，他赶车总是很稳很快，而且不反对拼命赶路，但是他必须知道是为什么。

我清楚地记得一天早晨，我们站在马厩里等候客人，这时一个年轻人提着一只笨重的手提箱，不小心踩到了人行道上的一块橘子皮，重重地摔倒了。

杰瑞首先跑过去扶他起来。那人似乎摔得不轻，他们领他进一家店铺，看他走路的样子，好像他身上疼得厉害。杰瑞又回到了马厩，但大约十分钟后，店铺老板来叫他，我们便来到人行道上。

"你能送我去东南站吗？"年轻人说，"真倒霉，摔了一跤，我恐怕赶不及了。但事情太重要了，我决不能误了十二点的火车。如果你能准时把我送到，那就太感谢了，我愿意给你额外报酬。"

"我会尽力的，"杰瑞真诚地说，"你觉得自己没事儿吗，先生？"因为那人脸色苍白，一副很不舒服的样子。

"我非走不可，"他急切地说，"请把门打开吧，我们别再浪费时间了。"

一眨眼的工夫，杰瑞就上了驾驶座，愉快地催了我一声，拽了一下缰绳，我完全明白他的意思。

"好了，杰克，好样的，"他说，"快跑吧，让他们看看我们跑起来有多快——只要我们知道为什么。"

中午城里的街道非常拥挤，要抢速度很不容易，但我们尽了全部的力量。一个好车夫和一匹好马，互相理解，拥有一种默契，是可以创造奇迹的。我有一个非常敏感的嘴——轻轻一碰缰绳就能驾驭我。这在伦敦是很了不起的，那么多马车、公共汽车，有的往这边走，有的往那边行，有的速度慢，有的想超到前面去。公共汽车每过一会儿就停下来拉客人，害得后面的马不得不停下脚步或者从旁边超过去。就在你超车时，正好一辆车从狭窄的空当挤了进来，你只好又退到公共汽车后面跟着。好不容易看到一个机会，费了好大劲儿挤到了前面，两边的车轮离得真近，差半英寸就碰着了。好，总算往前走了一点，但很快就发现又被困在长长一队马车中间，速度慢得像步行。说不定还会碰到堵车，要等到某辆车拐进旁边的胡同，或警察出来干预。你要时刻抓住机会——一有空当就往前冲，一有空子就钻，免得轮子被卡住、被撞坏，或别的马车的辕杆撞上你的胸膛或肩膀。这些你都必须做好准备。你要想在大白天快速穿过伦敦城，必须很有经验才行。

杰瑞和我已经习惯了，我们一上路，谁也不是我们的对手。我敏捷、大胆，我的车把式总是可以信赖；杰瑞耐心、速度快，信得过他的马，这可不是一件容易的事。他很少动用鞭子。我从他的话音、他咂舌头的声音，便知道他什么时候想加快速度，我通过缰绳知道该往哪儿走，所以他用不着动鞭子。我还是接着讲我的故事吧。

那天街上很拥挤，但我们一路顺利，一直走到齐普塞街的尽头，在那里堵了三四分钟。年轻人把脑袋探出车门，着急地说："我还是下车步行吧。这么堵下去，什么时候才能到啊！"

"我会想办法的，先生，"杰瑞说，"我想我们能赶得上。不会堵太久的，你的行李太重了，先生。"

话音未落，前面的车子动了起来，我们总算舒了口气。左拐右拐，见缝插针，以最快的速度直往前赶，最后到伦敦桥时，时间竟然还很充裕。那里有数不清的各种马车都在拼命赶路，也许都想赶上那趟列车。总之，我们跟许多车一起风驰电掣般地冲进车站，这时大钟上的时间是十二点差八分。

"谢天谢地！赶上了，"年轻人说，"谢谢你，也谢谢你的这匹好马。你帮我抢回来的可不是拿钱能买来的。拿着这半个克朗吧。""不，先生,不,谢谢您。真高兴我们没迟到。先生,您别耽搁了,铃已经响了。喂,脚夫!帮这位先生提上行李——多佛铁路线十二点钟的那趟车——好了。"不等年轻人说话,杰瑞就让我闪开,给最后冲进来的马车腾出地方,我们挪到一边,等那伙拥挤的人马过去。"太高兴了,"他说,"太高兴了!可怜的年轻人!真不知道他为什么那么着急!"不赶路的时候,杰瑞经常大声自言自语,我也能听见。杰瑞回到车马行,大家都大声取笑他,说他为了多挣钱,违反自己的原则,拼命赶车去火车站,他们想知道他到底捞了多少。"比我平常挣的多得多,"他调皮地点着头说,"他给我的钱,够我过几天舒服日子了。""废话!"一个人说。"他是个骗子,"另一个人说,"平常教训我们,自己却去做同样的事。""伙计们,看看吧,"杰瑞说,"那先生要多给我半个克朗,我没要。看到他赶上火车那么高兴,我已经得到报偿了。杰克和我偶尔愿意赶赶路,让自己高兴高兴,那是我们的事,跟你们无关。""嘿,"莱瑞说,"你这样永远发不了财。""估计是发不了,"杰瑞说,"但我的快乐并不会因此减少啊。基督教的戒律我听过许多遍,没听见里面说过'你必须发财'。《新约》里说了富人的许多奇怪的事情,我想我如果是一个富人,会感到很不自在的。"

"如果有一天你真发财了,"灰衣长官从他的马车后面扭头朝这边望来,说,"也会得到好报的,杰瑞,你的财富不会受到诅咒。而你呢,莱瑞,你会穷困潦倒地死去,你买鞭子花的钱太多了。"

"唉,"莱瑞说,"那有什么办法,马没鞭子不行啊。"

"你从来没有试试不用鞭子会怎么样。你总是把鞭子挥个不停,就好像胳膊得了舞蹈病似的,就算你没有累垮,也把你的马给累垮了。你总是频繁地换马,你知道为什么吗?因为你从来不给他们安宁和鼓励。"

"唉，我总是运气不好，"莱瑞说，"这才是最根本的。"

"你永远不会有好运气，"长官说，"好运气是很挑剔的，一般都喜欢陪伴那些有常识、有善心的人，至少我的经验是这样。"

灰衣长官说完扭头继续看报纸，别人也去照看自己的马车了。

第 36 章　星期天出租马车

有一天，杰瑞刚给我套上车，系紧缰绳，一位绅士走进了院子。"为您效劳，先生。"杰瑞说。

"早上好，巴克先生，"绅士说，"我想请你每个星期天上午送布里格斯太太去教堂。我们现在去新教堂了，路太远，她走不动。"

"谢谢您，先生，"杰瑞说，"但我只办了六天的执照，星期天不能送客人，那是违法的。"

"噢！"那人说，"我不知道你的马车是六天的执照。不过，改一下执照应该不费什么周折。我希望你不要错过这个机会，实际上，布里格斯太太特别想要你给她赶车。"

"我很愿意为夫人赶车，先生，可是我曾经办过七天的执照，活儿太累了，我的马也受不了。一年到头捞不到一天休息，也不能跟老婆孩子一起过星期天，而且永远不能到教堂做礼拜，我干上赶车的活儿之前，总是去做礼拜的。所以，最近五年我只办六天的执照，我觉得这样从各个方面来说都比较好。"

"是啊，当然是这样，"布里格斯先生说，"每个人都应该得到休息，都应该能在星期天去教堂，但我想，让马多跑这么点距离你不会介意的,而且一天就这一次。整个下午和晚上都是你自己的。我们是很好的顾客,你知道。"

"是的,先生,那是没说的,我非常感谢您的好意。能为您和夫人效劳,我非常自豪、非常高兴。但我不能舍弃我的星期天,先生,真的不能。我从书上读到,上帝创造了人,又创造了马和其他动物,紧接着他就创造了休息日,并且命令大家每过七天都应该休息一天。我想,先生,上帝肯定知道怎样对大家有好处,我相信这样对我是好的。现在我有了一个休息日,身体更结实、更健康,马的精力也更充沛,老得没有那么快了。那些赶六天车的人都跟我这么说,现在,我存在银行里的钱比以前更多。至于我的老婆孩子,先生,我的天哪!他们说什么也不会愿意再让我恢复七天工作的。"

"哦,很好,"那先生说,"别为难了,巴克先生,别为难了。我去别处问问吧。"他说着就走开了。

"唉,"杰瑞对我说,"没办法,杰克,老伙计。我们必须有我们的星期日啊。"

"波利!"他喊道,"波利!过来。"

她一眨眼就跑来了。

"怎么啦,杰瑞?""亲爱的,布里格斯先生要我每个星期天上午送他太太去教堂。我说我只有六天工作的执照。他说:'去办个七天的执照,我不会让你吃亏的。'波利,你知道他们可是很好的顾客啊。布里格斯夫人经常出去买东西,一买就好几个小时,要么就去拜访别人,她给钱总是给得很大方,简直是个贵妇人呢。她不像有些人那样杀价,或把三小时算成两个半小时。让马跑这一趟也不费什么事儿,不用拼着性命替那些总是迟到一刻钟的人去赶火车。而且,我在这件事上没有帮她,恐怕就要永远失去这两位顾客了。你怎么说呢,小妇人？"

"要我说嘛，杰瑞，"波利慢悠悠地说，"即使布里格斯太太每星期给你一个金币，我也不愿意你再成为一星期工作七天的赶车人。我们知道那意味着没有星期天，现在我们尝到了拥有星期天的滋味。谢天谢地，你挣的钱足够养活我们了，虽然要买燕麦、干草，还要交租金、办执照，日子有时候确实紧巴巴的。可是哈利很快也能挣点钱了，我情愿吃更多的苦，也不愿回到过去那些可怕的日子，那时你简直没有一分钟时间看看你自己的孩子，我们从来没一起去教堂做礼拜，或者安安静静、快快活活地过一天。上帝禁止我们再回到那样的生活。这就是我要说的，杰瑞。"

"亲爱的，我跟布里格斯先生就是这么说的呀，"杰瑞说，"而且我一定说到做到。所以你就别发愁了，波利（波利已经哭了起来）。即使能挣双倍的钱，我也不会回到过去的日子，就这么定了，小妇人。好了，高兴点吧，我要去拉生意了。"

这次谈话三个星期后，布里格斯太太那儿没有要车，我们只是接受车马行分派的活儿。杰瑞很发愁，因为人和马都干得挺辛苦。而波利总是宽他的心，说："没关系，爸爸，没关系。

尽你的本分，
且把心放宽，
直到有一天，
一切都好转。"

很快，大家都知道杰瑞失去了他最好的顾客，也知道了其中的原因。大多数人都说杰瑞是个傻瓜，也有两三个人站在他一边。

"干活的人如果不坚持星期天休息,"特鲁门说,"很快他们就什么也没有了。这是每个人的权利,也是每个牲口的权利。上帝的法律规定我们有一个休息日,英国的法律也规定我们有一个休息日,我们应该捍卫法律给予我们的权利,并让我们的孩子也拥有这些权利。"

"你们这些信教的家伙当然可以这么说,"莱瑞说,"我嘛,只要可能,一个先令都不会放过。我不信教,也没见你们信教的人比别人好。"

"他们如果不好,"杰瑞说,"那是因为他们并不真的信教。你不能因为有些人违反了法律,就说我们国家的法律不好。一个人爱发脾气、说邻居的坏话、欠债不还,那他就没有信教,不管他去教堂多少次。不错,世界上有骗子和伪君子,但那并不能说明宗教是虚假的。真正的宗教是世界上最真实、最美好的东西,只有宗教才能使一个人真正幸福,使我们生活的这个世界变得更好。"

"如果宗教是好的,"琼斯说,"你们这些信教的人就不应该让我们星期天干活,可许多人却都这么做,所以我说宗教都是骗人的鬼话。要不是为了那些去教堂做礼拜的人,我们星期天根本就没必要出门。但是用他们的话说,他们有特权,我没有。我没机会保住我的灵魂,我希望他们能给我个交代。"

听了这话,几个人大声喝彩,后来杰瑞说道:

"这话听上去不错,实际上根本站不住脚。每个人都应该照看好自己的灵魂,不能把灵魂像个弃婴似的放在别人家门口,让别人替你照看。你没有看见吗,如果你整天坐在驾驶座上等顾客,他们会说:'即使我们不坐他的车,别人也会坐的,他星期天并不想休息。'当然啦,他们没有追根究底,不然就会看到如果他们从来不租马车,你在那里就拉不到生意了。但人们并不总喜欢追根究底,那样做太费劲儿。如果星期天赶车的人都来争取一天休息日，事情就成了。"

"那些善良的人如果不能去听他们最喜欢的布道，会怎么做呢？"莱瑞说。

"轮不到我来给别人制订计划，"杰瑞说，"去不了远的教堂，可以去近一点的嘛。如果下雨，可以像平常一样穿雨衣嘛。正确的事情，总能够做成；错误的事情，肯定能消除。一个善良的人总会有办法的。不管是对我们赶车的人，还是对那些去教堂的人，道理都是一样。"

第37章 为人准则

两三个星期后的一天晚上，我们刚回到院子里，波利就提着灯笼跑过马路（只要不下雨，她总是把灯笼带来）。

"没事儿了，杰瑞。今天下午，布里格斯太太派仆人来，叫你明天上午十一点送她出门。我说：'是啊，我也想到了，但我们以为她现在会雇别人了。'

"'唉，'那仆人说，'不瞒你说，巴克先生星期天不肯拉活，主人很不高兴，他一直在试着雇别的马车，可总有这样那样的不合适。有的太快，有的太慢，女主人说它们都比不上你家的马车干净、舒服，她只有再坐上巴克先生的车才会觉得称心。'"

波利说得上气不接下气，杰瑞开心地大笑起来。

"'直到有一天，一切都好转'，你说得对，亲爱的，你的话总是没错。快回去做晚饭吧，我要把杰克的挽具解下来，让他立刻感到舒服、快乐。"

此后，布里格斯太太像以前一样经常雇用杰瑞的马车，只是星期天除外。但有一天我们星期天也干活了，事情是这样的。星期六晚上我们回到家里都很累了，一想到第二天能休息就感到非常高兴，然而我们并没捞到休息。

星期天早晨，杰瑞在院子里给我擦洗身子，波利走了过来，一副心事重重的样子。"怎么啦？"杰瑞问。"唉，亲爱的，"波利说，"可怜的迪纳尔·布朗刚才接到一封信，说她母亲病危，如果她要见母亲最后一面，必须立刻动身。那地方离这里十多英里，是在乡下，她说乘火车下来还要步行四英里，她身子骨那么虚弱，小宝宝才四个星期大，那当然是办不到的。她想问问你能不能让她坐你的马车，她答应只要能弄到钱，一定不少给一个子儿。"

"啧，啧！我们想想吧。我考虑的不是钱，而是这样一来，我们就没有星期天了。马累了，我也累了——这是让人最苦恼的。"

"这样说来，确实让人苦恼，"波利说，"没有你的星期天只能算半个星期天，但是你知道，我们希望别人怎么对待我们，就应该首先那样对待别人。我非常清楚如果我妈妈病得奄奄一息，我心里会是什么滋味。杰瑞，亲爱的，我相信这不会违反安息日的戒律。如果把一头可怜的牲口或驴子从沟里拖上来不算违法，那么帮助可怜的迪纳尔渡过难关肯定也没有违法。"

"哎呀，波利，你简直像牧师一样善良呢。好吧，反正我今天一大早就听过星期天早晨的布道了，你可以去告诉迪纳尔，我十点钟等她，且慢——你到屠夫布赖顿那里去向他致意，问他能不能把他的灯光捕虫器借给我。我知道他星期天从来不用，这会给马带来一点奇特的新鲜感。"

波利很快就回来了，说布赖顿很愿意把捕虫器借给他。

"好吧，"杰瑞说，"你给准备一些面包和奶酪，我争取下午赶回来。"

"我把本来晚饭吃的肉煎饼挪到下午的茶点上。"波利说完就走了，杰瑞一边做准备，一边哼着"波利真是个好老婆"，他最喜欢这首歌了。

杰瑞挑我出来跑这一趟，十点钟我们出发了，一辆轻便的两轮马车，跑起来轻快极了，拉惯了四轮马车的我，觉得简直不费吹灰之力。

那是五月一个晴朗的日子，一出小城，清新的空气里夹杂着青草的芳香，柔软的乡村小路就像昔日一样令人愉快，我很快就觉得心旷神怡。

迪纳尔的家人住在绿色小径边的一座小农宅里，近旁是一片牧场，有几棵大树洒下宜人的绿荫。牧场上有两头奶牛在吃草。一个年轻人请杰瑞把捕虫器放进牧场，至于我呢，他把我拴在牛棚里，很抱歉不能给我提供更好的马厩。

"如果你的奶牛没意见，"杰瑞说，"我的马肯定特别愿意在你美丽的牧场上待一两个小时。他很安静，这对他来说是一种很难得的享受。"

"没问题，欢迎欢迎，"年轻人说，"您对我姐姐这么好，我们巴不得为您效劳呢。一小时后开饭，希望您也进来一起吃，不过母亲病得这么厉害，家里人心情都不太好。"

杰瑞婉言谢过他，说自己随身带着干粮，他最愿意和我一起在牧场上随便走走。

挽具拿掉后，我简直不知道应该先做什么——是吃草，还是满地打滚，还是躺下来休息，还是自由地、随心所欲地在牧场上奔跑。我把这些事情挨个儿做了一遍。杰瑞似乎和我一样开心。他坐在树荫下的河岸边，听小鸟唱歌，然后自己也唱了起来，大声地读他特别喜欢的那本褐色的小书，然后在牧场上悠闲地走来走去，来到一条小溪边采摘鲜花和山楂，并用长长的藤蔓把它们捆扎起来，后来又喂我饱饱地吃了一顿他带来的燕麦。唉，时间太短了。自从我在伯爵府离开可怜的生姜后，就再没有到过牧场。

我们不紧不慢地回家，刚进院子，杰瑞就说："哎呀，波利，我并没有损失我的星期天，每片树丛里都有小鸟在唱赞美诗，我也和它们一起唱了。至于杰克嘛，他简直像小马驹一样开心呢。"

当他把鲜花递给多丽时，小姑娘高兴得欢蹦乱跳。

第 38 章　多丽与一位真正的绅士

冬天早早地来了，天气寒冷，雨雪不断。接连几个星期，每天不是下雨就是下雪，要不就是雨夹雪，偶尔还有凛冽的狂风和厚厚的霜冻。马匹对此深有感触。如果天气干冷，两条厚毛毯会让我们暖和，可是如果下雨，毛毯很快就会湿透，一点用也没有了。有些车把式有防水的盖布，那倒不错。但有些人太穷，没法保护自己和他们的马，那个冬天许多人都遭了大罪。马工作半天后可以回到干爽的马厩里休息，车把式却不得不坐在驾驶座上，有时候如果客人参加晚会，他们要一直等到凌晨一两点钟。

路上有霜、有雪，变得又湿又滑时，马的日子是最难过的。后面拉着沉重的车子，脚底下踩不扎实，这样走一英里比在好路上走四英里还要吃力。为了保持平衡，身体的每根神经、每块肌肉都绷得紧紧的，而且，提心吊胆地害怕摔跤更使我们精疲力竭。路况特别糟糕时，会给我们的蹄子装上防滑钉，使我们从一开始就心情紧张。

天气非常恶劣的时候，许多人都会到附近的酒店里坐着，派一个人替他们看着，但那样经常会丢了生意，而且，就像杰瑞说的，在酒店里也少不得花钱。他自己从来不去旭日酒店。近旁有家咖啡馆，他偶尔会去坐坐，有个老头儿到我们队伍里来卖热咖啡和馅饼，杰瑞也会买一些。他认为，喝白酒和啤酒只能使人过后更冷，只有干衣服、好饭菜、快乐的心情，和家里贤惠的妻子，才最能够让一个车把式感到暖和。杰瑞不能回家时，波利总是给他做点吃的，有时他会看见小多丽从街角探出脑袋，弄清爸爸是不是在那里等生意。她一见爸爸便回身就跑，一眨眼就没影儿了，不一会儿，她又提着罐子或篮子回来了，里面是波利准备的热汤或布丁。街上经常挤满了马匹和车辆，这个小东西竟然能安全地穿过马路，真不简单。多丽是个勇敢的小姑娘，觉得能送来"爸爸的第一道菜"（这是杰瑞的话）是一件很骄傲的事。她在车把式堆里是大家的宠儿，杰瑞忙的时候，别的车把式都愿意护送她安全地过马路。

一个寒风凛冽的日子，多丽给杰瑞送来一碗热腾腾的东西，站在一旁等爸爸吃完。杰瑞刚开始吃，一位打伞的先生快步朝我们走来。杰瑞行了个触帽礼，把碗递给多丽，拿掉我身上的盖布，那位先生赶上前来喊道："别，别，先把你的汤喝完，朋友。我虽然时间紧，但可以等你把汤喝完，等你把小女儿安全送到人行道上。"他说着就坐上了马车。杰瑞真诚地向他表示感谢，然后转向多丽。

"看见了吗，多丽？这是一位绅士，一位真正的绅士，多丽。他能腾出时间和心思来考虑一位穷苦车把式和一位小姑娘的感觉。"

杰瑞喝完汤，送孩子过了马路，然后按先生的吩咐赶车去了克拉彭岗。从那以后，那位先生几次乘坐我们的马车。我发现他非常喜欢狗和马，每次我们把他送到家门口，都有两三只狗奔出来迎接他。有时他会走上前来拍拍我，和蔼地、轻声慢语地说："这匹马有一个好主人，这是他应得的。"一个人能注意到替他干活的马，这是很少见的一件事。我只知道女士偶尔这么做，还有这位先生和另外一两个人曾经拍过我,说过一两句亲切的话。百分之九十九的人宁可去拍拍火车头,也不会想到来拍拍我。

这位先生不年轻了,肩膀往前弓着,好像总在扑向什么东西。他嘴唇很薄,闭得紧紧的,不过笑起来非常亲切。他的眼光很锐利,他的下巴还有他头部的动作使人觉得他做事非常坚定、果断。他的声音亲切、和蔼,任何一匹马都会信赖这种声音,虽然这声音和他的一切一样透着坚定和果断。

一天,他和另一位先生坐我们的马车。他们在 R 大街的一家店铺停下来,那位朋友进去了,他站在门口等着。马路对面在我们前头一点的地方,有一辆马车停在几个酒窖前面,两匹马看上去很精神,车把式不在。我看不出马车在那里停了多久,但两匹马似乎觉得等的时间够长了,便开始往前走动。走出没几步,车把式就跑出来抓住了他们。他似乎因为他们擅自走动而气坏了,用鞭子和缰绳狠狠地惩罚他们,甚至抽打他们的脑袋。我们的先生看见了这一切,他快步穿过马路,用果断的声音说:

"如果你不马上住手,我就因为你擅自离开马匹和做事残忍而逮捕你。"

那人显然是喝醉了,嘴里喷出一串脏话,但他不再抽打马匹、狠扯缰绳了,他爬上了自己的马车。这时我们的朋友不声不响地从口袋里掏出一个笔记本,看了看印在马车上的姓名和地址,记了下来。

"你想干什么?"车把式吼道,同时一挥鞭子,出发了。先生没有回答,只是点点头,冷笑了一下。

我们的朋友和他的同伴一起返回马车,同伴大笑着说:"赖特,我觉得你需要操心的事情够多的了,竟然还有闲心去管别人的马和仆人。"

我们的朋友站定了一会儿，把脑袋微微往后一仰："你知道这个世界为什么这样糟糕吗？"

"不知道。"他的同伴说。

"我来告诉你吧。就是因为人们都只关心自己的事，不肯费心为被压迫者争取权益，揭露为非作歹的坏人。我每次看到这种恶毒的事，都要尽我的力量去阻止，许多主人都感谢我让他知道别人是怎么使唤他的马的。"

"真希望您这样的绅士再多一些，先生，"杰瑞说，"这个城市特别需要这样的人啊。"

我们继续赶路，下车时，我们的朋友说："我的信条是，看见残忍或错误的行为，如果我们有力量去阻止而没有采取行动，那么我们就成了罪恶的帮凶。"

第39章　邋遢鬼山姆

应该承认，我作为拉出租马车的马，日子过得还是很不错的。车把式就是我的主人，就算他不是这么一位善良的好人，他为了自己的利益也得把我照顾好、不让我累着。许多马属于大车马行的老板，他们把马租给车把式，一天收好多钱。反正不是自己的马，车把式只想着怎么让马挣钱，先把老板的租金付清，然后给自己挣口吃的。有些马因此遭了大罪。当然啦，我知道得很少，但人们在车马行里经常谈论这件事，长官是个好心肠的人，很喜欢马，如果哪匹马回来时受了虐待或精疲力竭，他会站出来说话。

有一天，一个衣衫褴褛、一副落魄相的车把式把他的马牵了进来，这人外号叫"邋遢鬼山姆"，他的马看上去完全累垮了，长官就说：

"你和你的马不该上这儿来，你们到警察局去更合适。"

那人把破破烂烂的毯子披在马的身上，转过身来面对长官，用一种近乎绝望的声音说：

"如果警察来管这件事，那也得怪老板收钱收得太多，车费又定得这么低。租一辆车和两匹马，一天要十八个先令，这个季节我们许多人都是这样，必须把那么些先令挣够了才能替自己挣一个大子儿，那可真是拼了老命地干啊。一匹马每天九个先令，得把这个数目挣够了，你才能挣钱糊口。你知道这是实情，如果马不肯干活，我们就得饿肚子，我和我的孩子早就知道那是什么滋味了。我有六个孩子，只有一个能挣点儿小钱。我每天十五六个小时在外面拉生意，已经十多个星期没有星期日了。你知道的，只要有可能，斯金纳①一天也不会放过，我不干谁干呢！我想要一件暖和的外套，要一件雨衣，可是有这么多张嘴要养活，怎么能得到呢？上个星期，为了付钱给斯金纳，我把钟给当了，恐怕一辈子也见不到了。"

周围的车把式纷纷点头，说他的话有道理。那人继续说：

"你们有自己的马和车，或者碰到好心眼儿的老板，还有机会舒口气，有机会做好事。我没有啊。超过一英里，在四英里范围内每加一英里只能收六个便士。就在今天上午，我走了整整六英里，只挣到三个先令。我拉不到回程的客，只好空车返回来，马走了十二英里，我挣了三个先令。后来，我又接一个三英里的活儿，箱子、提包一大堆，如果放在外面还能多挣几个便士的小钱，可是你知道人们会怎么做，凡是能堆在车里座位上的，都堆了进去，三个重箱子摞在了车顶上。那是六个便士，车费是一个半先令，回来时又挣了一个先令。再算下来，马走了十八英里，我挣了六个先令。我要为这匹马再挣三个先令，还要为下午那匹马挣九个先令，才能往我自己口袋里放一个子儿。当然啦，不是每天都这么倒霉，但你知道这种事经常有的，所以我说，叫别人不要把马累坏简直是开玩笑，牲口累得全身没劲儿时，只有鞭子才能让他的腿动起来。你没法不这么做——你必须把老婆孩子放在马的前面。让老板去为马操心吧，我们可做不到。我不是故意

---

① 斯金纳：在英文中的意思是剥皮者。

糟蹋马,你们谁也不能这么说。肯定有什么地方不对劲儿——一年到头没有一天休息,不能跟老婆孩子安静地待一小时。我经常感觉自己像个老头儿,实际上我才四十五啊。你知道有些上流社会的绅士总怀疑我们偷奸耍滑、多要车钱。是啊,他们手里捏着钱包,每分钱都数得那么仔细,看我们的眼神就好像我们都是扒手。我真希望他们也每天十六小时坐在我的驾驶座上,不管刮风下雨、天寒暑热,靠赶车挣钱糊口,还要交够十八个先令的份子钱。那样他们就不会那么小气,不肯多给六个便士,或者把所有的行李都塞进车里了。当然啦,偶尔有些人出手还是蛮大方,不然我们就没法活了,可你不能只靠那个啊。"

周围的人都很同意他的话,其中一个说:"这日子实在太艰难了,一个人偶尔做点坏事也没什么奇怪的,他多喝几口酒,谁又有权力责怪他呢?"

杰瑞没有加入谈话,但我从没见他的神情这么忧伤。长官本来双手抄在口袋里,现在从帽子里掏出手帕,擦了擦额头。

"你弄得我无话可说了,山姆,"他说,"因为这些都是实情,我再也不用警察局的那番话来说你了,刚才是那匹马的眼神触动了我的心。人活得不易,牲口也活得不易啊,谁能改改这个世道呢,我也不知道。不过,你可以告诉可怜的牲口,你那样强迫他出去干活,心里也很难过。可怜的牲口们,有时候我们能给他们的就是一句亲切的话,神奇的是他们居然能听懂呢。"

几天后的一个早晨,一个新来的人赶着山姆的马车过来了。

"你好!"一个人说,"邋遢鬼山姆怎么啦?"

"他病倒了,"那人说,"昨天晚上他被人抬进院子,连爬回家的力气都没有了。他老婆今儿早晨打发一个小男孩来说,他爸爸发了高烧，不能出来，所以我就来了。"

第二天早晨，那个人又来了。

"山姆怎么样了？"长官问。

"他走了。"那人说。

"什么，走了？你不会是说他死了吧？"

"吹灯拔蜡了，"那人说，"他今儿凌晨四点断了气，整个昨天都在说胡话——骂斯金纳，说他没有星期天，'我星期天从来捞不到休息'，这就是他说的最后一句话。"

一时间谁也没有作声，然后长官说："听我一句吧，伙计们，这对我们可是个警告啊。"

第40章　可怜的生姜

有一天，我们和许多马车都在一个公园外面等候，公园里演奏着音乐。这时一辆破破烂烂的马车过来停在我们旁边。那是一匹年老力衰的红棕马，皮毛保养得很差，骨头全都突了出来，清晰可见，她前腿颤颤悠悠，膝盖直打晃。我在吃干草，一阵风吹来，一小撮干草飘了过去，那可怜的牲口立刻伸出瘦巴巴的长脖子，把它叼去了，然后东张西望寻找更多的干草。我不禁注意到，她那双无神的眼睛里透出一种绝望，我好像在什么地方见过这匹马，就在这时，她仔细打量了我一番，说："黑骊，是你吗？"

生姜！她变化多大啊！那弧线优美、毛发光亮的脖子，现在变得僵直、干瘦，肉都塌陷了下去；那四条修长笔直、骨节精致的腿，现在也肿了；由于长年干重活，关节都变了形；她的脸本来那么生动、富有活力，现在却写满了愁苦；她的身体剧烈起伏，咳嗽不断，我便知道她呼吸道的状况有多么糟糕。

车把式都在不远处扎堆聊天，我悄悄朝生姜跟前挪了一两步，想跟她小声聊一会儿。她说的是一个非常悲惨的故事。

她在伯爵府休养了一年，人们觉得她又可以干活了，就把她卖给了一位先生。那段日子倒过得不错，但好景不长，有一次奔跑的时间长了点儿，旧伤复发，休养、治疗一段时间后，她又被卖掉了。就这样，她几次更换主人，景况越来越差。

"最后，"她说，"买我的那个男人有许多马和车，把它们全都出租。看样子你过得很好，我真为你高兴，至于我的日子，唉，真是没法儿说啊。他们发现了我的毛病，说买我买亏了，就让我去拉一辆下等马车，榨干算了。他们就是这么做的，用鞭子抽，狠狠地使唤我，从不考虑我的痛苦——他们花了钱嘛，必须从我身上把那点钱收回去，他们说。现在雇我的那个人每天付给老板一大笔钱，他也要从我身上把那笔钱挣出来。一年到头，一星期接一星期，从没有一个星期天捞到休息。"

我说："过去有人虐待你，你总是站出来捍卫自己。"

"唉！"她说，"我试过一次，没有用啊。人是最厉害的，如果他们冷酷无情、根本没心肝，我们便没有办法，只好忍受——忍啊，忍啊，一直忍到最后。我希望那一天已经到来，我希望我已经死了。我看见过死马，他们肯定不会再受苦了。我希望我在干活的时候倒下来死掉，而不要被送到屠宰场去。"

我心里难受极了，我把鼻子贴向她的鼻子，但说不出话来安慰她。我想她见到我是很高兴的，因为她说："你是我这辈子唯一的朋友。"

这时，她的车把式来了，用缰绳扯了一下她的嘴巴，退出队伍，走了，留下我独自黯然神伤。

不久之后，一辆马车拖着一匹死马经过我们的车马队。死马的脑袋从车尾部耷拉下来，没有生命的舌头慢慢往下滴血，还有那双深陷的眼睛！我无法再描述了，那景象实在太可怕。那是一匹红棕马，脖子又瘦又长。我看见马的额头上有一道白色。我相信那是生姜，我希望那是生姜，这样她的磨难就结束了。哦，如果人心更加慈悲，就应该在我们落到这步境地前开枪把我们打死。

第 41 章　肉铺老板

　　我在伦敦见过许多马遭遇不幸，其实只要稍有常识，许多事情是可以避免的。我们马不介意干重活，只要人们能合理地对待我们，许多车把式很穷，但他们的马过得比我给 W 伯爵夫人拉车时幸福得多，虽然我当时用的是银挽具，吃的是高级饲料。

　　看到有些小马使出全身力气拉着沉重的货物，或在某个狠心的、没有教养的男孩的皮鞭下跟跟跄跄地行走，我常会感到十分痛心。一次我看见一匹小灰马鬃毛浓密，脑袋俊秀，简直和欢蹄一模一样，我要不是在拉车，就冲他欢叫起来了。他在拼命拉一辆沉重的马车，一个粗鲁结实的男孩用鞭子抽他的肚子，并狠心地用缰绳拉扯他娇嫩的嘴巴。会是欢蹄吗？长得真像啊，可是布鲁姆·菲尔德先生永远不能卖掉欢蹄的呀，我想他不会卖掉他的。这个小家伙和当年的欢蹄一样可爱，而且年轻时也在一个好地方待过。

　　我经常注意到肉铺的马总是被赶得拼命奔跑，但不明白是为什么。一天，我们在圣约翰树林外面等候，隔壁是一家肉铺。我们站在那儿时，肉铺的一辆马车风一般地疾驰而过。马热坏了，十分疲惫，脑袋耷拉着，身体剧烈起伏，四条腿直打颤，说明他被使唤得非常狠。一个小伙子从车上跳下来，正要去拿篮子，老板很不高兴地从铺子里出来，看了看马，怒气冲冲地转向小伙子。

"我要告诉你多少遍，不能这样赶车！你毁了上一匹马，弄坏了他的气管，现在又来糟蹋这匹马。你要不是我儿子，我马上就叫你滚蛋。赶着这样一匹马来肉铺真是太丢脸了，你这么赶车很可能会被警察抓走的。如果警察真的抓了你，可别指望我去把你保出来，我已经跟你把嘴皮子都磨破了。你必须自己留点儿神。"

老板说话时，男孩气呼呼地站在旁边，一脸的不服气，父亲刚说完，他就气恼地嚷了起来。那不能怪他，不是他的错，他一直都在被人使唤。

"你总是说：'速度要快，眼要尖！'我挨家挨户地跑，有一家要一条羊腿做午饭，我必须一刻钟给他送到；另一家的厨子忘记预订牛肉了，我必须赶紧给他取了送去，不能耽误，不然女主人就会骂；管家说他们家突然来了客人，必须立刻送一些排骨去；新月街四号的那位女士，总要等午饭的肉送到了才预订晚饭的东西，没办法，除了奔命，还是奔命。如果那些先生太太能提前一天想好要什么，提前把肉订好，就用不着这样火急火燎的了！"

"谢天谢地，我也希望他们能这样做，"肉铺老板说，"那样会省去我多少麻烦，如果提前知道顾客要什么，我也能更好地满足他们的需要——可是，唉！说这些有什么用呢——谁会想到一个肉铺老板的方便，谁会替一匹肉铺的马考虑考虑呢！唉，来吧，把他牵进来，好好照顾一下。记住，今天他不能再出去了，如果还有人要什么，你就用篮子提着自己送去吧。"老板说完就进了店铺，马也被牵走了。

并不是所有的男孩都是狠心的。我见过几个男孩非常喜欢他们的小马或驴子，当成小狗一样宠爱，那些小牲口心甘情愿、快快乐乐地为小主人拉车，就像我为杰瑞拉车一样。有时候活儿确实很累，但一位朋友的抚摸和话语会带来许多安慰。

有一个男孩上我们街上来贩卖蔬菜和土豆，他有一匹上了年岁的矮脚马，模样不太好看，却是我见过的最愉快、最活泼的小东西，看着这小贩和矮脚马互相喜爱的样子，真是一种享受。矮脚马像小狗一样跟着主人，套上马车后，不用主人发话或挥鞭子，就自己快步小跑起来，那么开心地在马路上嗒嗒地奔跑，好像他是从皇家马厩里出来的。杰瑞喜欢那个男孩，管他叫"查理王子"，说他总有一天会成为车把式之王。

还有一个老头儿，经常赶一辆小煤车到我们街上来。他戴一顶煤炭装卸工人的帽子，显得黑不溜秋的，面目粗糙。他和那匹老马总是一起慢慢地在街上走，像两个情投意合的好搭档。有人要买煤时，老马会自动在门口停下脚步，让人从车上卸煤，他的一只耳朵总冲着他的主人耷拉着。老头儿人还没到，整条街便能听见他的叫声。我听不懂他说些什么，但小孩子都叫他"老巴——伙"，他叫的声音差不多就是这样。波利总是从他手里买煤，对他非常亲切。杰瑞说，想到一匹老马在穷人家里过得这样幸福，真让人舒心。

第 42 章　选举

一天下午，我们刚进院子，波利就喊了起来。"杰瑞！B 先生（这是个 B 开头姓氏的先生，我们就称他为 B 先生）上这儿来打听你的选票，他还想雇你的马车去参加选举。他过会儿来听你的回话。"

"唉，波利，你可以说我的马车已经被人雇了。我不愿意车上贴满他们的大海报，不愿意让杰克和队长在各个小酒馆奔走，鼓动那些喝得半醉的人投票。不，我不想那么做。"

"我想你会投那先生一票吧？他说他的政治观点跟你一样。"

"那他还算有点头脑，但我不会投他的票，波利。你知道他是干哪行的吧？"

"知道。"

"是啊，一个通过那一行发迹的男人，有些方面大概很棒，但他看不到劳苦人需要什么。我的良心不允许我选举他来制定法律。我敢说他们会很生气，但每个人都必须做他认为对国家最有益的事情。"

选举前一天的早晨，杰瑞给我套上车。多丽哭哭啼啼地走进院子，她的蓝色小袍和白色围裙上沾满泥浆。

"哎呀，多丽，出什么事了？"

"那些淘气的男孩，"多丽哭着说，"把泥巴往我身上扔，还叫我小破……小破烂……"

"他们叫她'蓝色'小破烂户，爸爸，"哈利怒气冲冲地跑进来说，"我已经教训了他们，他们再也不敢欺负妹妹了。我用鞭子狠狠抽了他们一顿，要他们一辈子也忘不了。一群胆小如鼠的'黄色'小流氓。"

杰瑞亲了亲多丽，说："跑去找你妈吧，宝贝，跟她说我认为你今天最好待在家里帮她干活。"

然后他严肃地转向哈利。

"儿子，我希望你永远保护好妹妹，谁敢欺负她，就用鞭子狠狠地抽——确实应该这样。可是你要记住，我不希望在我们家周围搞什么选举闹事。有许多'黄色'流氓，也有许多'蓝色'流氓，还有许多'白色'流氓和'紫色'流氓，或其他颜色的流氓，我不希望我们家人搅和到这件事里。就连女人和孩子也时刻准备为颜色而吵架，其实只有十分之一的人明白是怎么回事。"

"可是，爸爸，我以为蓝色是代表自由的。"

"儿子，自由不是从颜色中来的，颜色只代表党派，你从颜色里能得到的自由，只是花别人的钱买醉的自由，坐一辆肮脏破烂的出租马车去投票的自由，咒骂跟你不同颜色的人、为你一知半解的事情声嘶力竭叫嚷的自由——那就是你的自由。"

"哦，爸爸，你在说笑。"

"不，哈利，我很严肃，看到人们糊里糊涂地瞎掺和，我真感到丢脸。选举是一件非常严肃的事情，至少应该是这样，每个人都应该根据自己的良心投票，并且允许邻居也这么做。"

第 43 章　患难朋友

选举那天终于来了，杰瑞和我整天忙个不停。先是一个提旅行包的大腹便便的胖先生要去主教门车站；然后一伙人要我们把他们送到里根公园；接着，一条小胡同里一位腼腆的、心急如焚的老太太等着我们送她去银行，我们在银行门口等着再把她送回来；刚把她放下，一位红脸膛的先生拿着一沓文件，气喘吁吁地跑过来，不等杰瑞下车，他就自己打开车门钻了进去，大声喊道："博街警察局，快！"我们带着他又出发了，然后又拉了一两个生意，回来的时候车马行一辆车也没有了。杰瑞给我挂上饲料袋，说："这种日子，我们必须瞅空子吃点。快吃吧，杰克，抓紧时间，老伙计！"

我发现饲料袋里是碾碎的燕麦拌了一点麸皮糊糊，这在平时是一种难得的享受，我那天吃了格外提神。杰瑞真是又善良、又体贴——为了这样的主人，哪匹马不会尽自己最大的力量呢？他掏出波利做的一块肉馅饼，站在我身边吃了起来。街上很拥挤，马车上漆着候选人的颜色，在人群中横冲直撞，似乎完全不把人的生命和安全当回事儿。那天我们看见有两个人被撞倒，其中一个是女人。那阵子马算是倒了大霉，可怜的牲口！可是乘车的投票者根本不考虑这个。他们许多人都喝得半醉,看到自己人就从马车的窗户里大呼小叫。这是我见过的第一次选举,我再也不想见到第二次,虽然我听说现在情况有了好转。

杰瑞和我刚吃了几口,就有一个穷苦的年轻女人抱着一个沉甸甸的孩子从街上走来。她东张西望,似乎完全没了主张。很快,她朝杰瑞走来,问他能不能告诉她圣托马斯医院在哪里,离这里有多远。她说,她是那天早晨从乡下乘赶集的马车来的,不知道选举的事,以前也没来过伦敦。她的小儿子要到医院里去看病。那孩子虚弱地、有气无力地哭着。

"可怜的小家伙!"那女人说,"他可是遭了大罪,四岁了,还像吃奶的娃儿一样不会走路,医生说如果把他送进医院就能治好。求求你,先生,医院有多远?往哪边走呢?"

"哎呀,夫人,"杰瑞说,"路上这么拥挤,你走路是走不到的!整整三英里呢,孩子又这么沉。"

"是啊,上帝保佑,他确实很沉,不过感谢上帝,我身子骨很结实,只要知道路,我想我总能走到的。行行好,请告诉我怎么走吧。"

"你走不到的,"杰瑞说,"你会被撞倒,孩子会被车碾着。来吧,上车,我送你平平安安去医院。你没看见快要下雨了吗?"

"不,先生,不。我不能那么做,谢谢您,我身上只带着回去的钱。请告诉我怎么走吧。"

"听我说,夫人,"杰瑞说,"我家里也有老婆孩子,知道做爸爸的感觉。你就上车吧,我送你去医院,不收你一分钱。让一个女人和一个病孩子冒那样的危险,我会为自己感到脸红的。"

"上帝保佑你!"女人说着流出了眼泪。

"行啦,行啦,高兴点吧,亲爱的,我很快就把你送到。来,让我扶你进去。"

杰瑞正要打开车门,两个男人——帽子和扣眼上都涂着颜色,跑过来喊道:"出租马车!"

"已经有客了。"杰瑞大声说。其中一个男人粗暴地将女人推到一边,抢先跳上马车,另一个人也跟了上去。杰瑞的神色像警察一样严厉。"这辆车已经有客人了,先生们,就是那位女士。"

"女士!"其中一个说,"嗬!她可以等,我们的事非常要紧,而且是我们先进马车的,我们有权利待在里面。"

杰瑞脸上露出一个古怪的笑容,他对着他们把马车的门关上了。"好吧,先生们,你们爱在里面待多久就待多久吧。你们休息的时候,我可以等着。"他回过身,朝站在我旁边的年轻女人走来。"他们很快就会走的,"他笑着说,"别发愁,亲爱的。"

他们果然很快就走了。他们弄清了杰瑞的计谋就下了车,用各种难听的粗话骂他,还威胁说要记下他的号码,叫他吃官司。经过这个小小的插曲,我们很快就出发去医院了,尽量穿小巷、走胡同。杰瑞摇响医院的铃,扶年轻女人下车。

"真是太感谢了,"女人说,"我一个人怎么也走不到这儿。"

"不用谢,我希望小宝贝很快好起来。"

杰瑞目送她走进门去,小声地自言自语道:"尽力帮助了最底层的人。"他拍了拍我的脖子,每次他高兴的时候都会这么做。

这时候雨下得很大了,我们正要离开医院,突然门又被打开,门房大声叫道:"出租马车!"我们停下脚步,看见一个女人走下台阶。杰瑞似乎一眼就认出了她。那女人撩起面纱,说:"巴克!杰瑞米·巴克,是你吗?看到你在这儿我真高兴,我就需要你这样的朋友,今天在伦敦这个地方要找一辆出租马车真不容易啊。"

"很荣幸为您效劳,夫人。我很高兴我碰巧在这里。送您去哪儿呢,夫人?"

"帕丁顿车站,如果我们时间充裕——这应该不成问题,你就跟我详细说说玛丽和孩子们的事吧。"

我们按时赶到车站,有了避雨的地方,夫人站在那里跟杰瑞聊了好一会儿。我发现她曾经是波利的女主人,她问了波利的好些事儿,然后说:

"冬天你赶出租马车合适吗?我知道去年玛丽很为你担心呢。"

"是啊,夫人,是这样。我咳嗽得厉害,一直咳到天气转暖的时候,有时我在外面耽搁得太晚,她也担心得要命。您知道的,夫人,一年四季、不管什么天气都得出来拉活儿,这对人的体质可是个考验。不过我干得还不错,要是真的没有马让我照料,我会感到心里空落落的。我从小就侍弄马,别的事儿恐怕也干不好。"

"唉,巴克,"夫人说,"不仅为你考虑,也为玛丽和孩子们考虑,你不顾自己的健康干这种工作都是很可惜的。有许多地方需要好的车夫和马夫,如果你什么时候愿意放弃这份出租马车的活儿,就告诉我一声。"

夫人亲切地托杰瑞向玛丽带好,并往杰瑞手里塞了点东西,说:"给俩孩子每人五个先令,玛丽知道该怎么花。"

杰瑞谢过她,看上去非常高兴,我们离开车站,终于回到家里,至少我是累坏了。

第44章 老队长和他的接替者

我和队长是很好的朋友。他是一匹高贵的老马,跟他在一起总是很愉快。我从没想到他会被迫离开家,走了下坡路,可是偏偏就轮到他了。当时我不在场,但听说了当时的经过。事情是这样的:

他和杰瑞送一伙人去伦敦桥上的大火车站,回来的时候,刚走到大桥和纪念碑之间的某个地方,杰瑞看见一位酿酒商赶着空车过来了,前面拉车的是两匹彪悍的大马。赶车人用沉甸甸的大鞭子抽打他的马,货车很轻,他们的速度飞快,那人根本控制不住,而街上车水马龙,十分拥挤。

一个年轻姑娘被货车撞倒、碾轧,接着车子直冲我们的马车撞来。我们的两个车轮掉了,车身整个儿翻了。队长被拽倒,辕杆断了,有一根扎进了他的身体。杰瑞也被甩了出去,但只受了轻伤,谁也不知道他是怎么死里逃生的,他总说那是个奇迹。可怜的队长站起身,人们发现他伤得很重。杰瑞慢慢把他牵回家,看到鲜血浸透他白色的皮毛,从背上和肩膀上流淌下来,真令人心痛。后来发现那个赶车人醉得很厉害,他被处以罚金,酿酒商要赔偿我们主人的损失,可是没有人赔偿可怜的队长的损失。

马医和杰瑞想尽办法减轻队长的痛苦，使他感到舒服一些。马车要修理，我好几天没有出门，杰瑞一分钱也没挣到。出事后我们第一次出去等生意，长官过来打听队长的伤情。

"他永远恢复不过来了，"杰瑞说，"至少不能替我拉活儿了，马医今天早晨这么说的。他说队长可以去拉货什么的，我听了心里真不是滋味。拉货，你想想！我见过马拉着货车在城里走来走去的情景。我只希望把所有的酒鬼都关进疯人院，而不是让他们来撞我们清醒的人。他们愿意撞碎自己的骨头，撞烂自己的车子，让自己的马变成瘸子，那是他们的事，我们可以由他们去，可是我发现最后倒霉的总是无辜的人。他们还谈什么赔偿！根本就没法儿赔偿。所有的麻烦、气恼、浪费的时间，还有失去一匹像老朋友一样的好马——说什么赔偿，全是扯淡！要说我最愿意在无底深渊里看到的一个魔鬼，那就是叫人酗酒的魔鬼。"

"我说，杰瑞，"长官说，"你这可是在打我的脸啊。说起来丢人，我做得不如你。真惭愧啊。"

"是啊，"杰瑞说，"你为什么就不能戒掉呢，长官？你这么好一个人，竟然做了这东西的奴隶！"

"我是个大傻瓜啊，杰瑞，我试着戒过两天，感觉自己像要死了。你是怎么做的呢？"

"有好几个星期确实很难。你知道我从没喝醉过，只是发现控制不住自己，瘾头上来时，很难说'不'。我明白我们中间总有一个要被打倒在地，要么是酒瘾，要么是杰瑞·巴克，我对自己说，上帝帮助我吧，杰瑞·巴克绝不能倒下。那可真是一场恶战，我需要来自各方面的帮助，当我想改变这个恶习时，才发现它是那么根深蒂固。波利不辞辛苦地替我做好吃的，瘾头上来时，我便喝杯咖啡、吃点薄荷,或读一会儿书,那对我很有帮助。有时我必须一遍遍地对自己说:'把酒戒掉,不然灵魂就丢了!把酒戒掉,不然波利就伤心了!'感谢上帝,感谢我亲爱的妻子,锁链终于砸碎,我已经十年滴酒不沾,也再没那样的愿望了。"

"我一定要下决心把酒戒掉,"格兰特说,"不能控制自己是件很糟糕的事。"

"戒吧,长官,戒吧,你不会后悔的。车马行里这些可怜的伙计看到你把酒给戒了,会得到多大的鼓励啊。我知道有两三个人很想跟那个酒店一刀两断呢。"

队长起初看起来还不错,但他毕竟年岁大了,这么长时间以来,多亏了他神奇的体质和杰瑞的精心照料,他才把车马行的活儿支撑了下来,现在他很快就一蹶不振了。马医说,可以把他卖几英镑弥补一些损失,可是杰瑞说,不!为了几英镑,把一位善良的老仆人卖出去干苦力、受折磨,会使他所有的钱都腐烂发臭的。杰瑞认为,他能为这个可怜的老伙计做的最仁慈的一件事,就是果断地把一颗子弹射进他的脑袋,让他从此不再受苦。因为杰瑞不知道在哪里能找到一位善良的主人照顾队长的余生。

事情决定后的第二天,哈利带我到铁匠铺去打几个新蹄铁,回来时,队长已经不见了。我和全家人心里都很难过。

杰瑞需要另外物色一匹马,很快,他通过一个在贵族家马房里当下等马夫的熟人打听到了一匹马。那是一匹很值钱的壮年马,但有一次脱缰乱跑,撞到另一辆马车,把老爷甩了出来,自己也弄得伤痕累累,不适合再待在贵族家的马厩里了,马房御者命令四处打听一下,有合适的主儿就把他卖掉。

"我很愿意买他,"杰瑞说,"只要他不是性子顽劣,嘴巴感觉迟钝。"

"他一点恶习也没有，"那人说，"嘴巴很敏感，我觉得就是因为这个才导致了那场事故。你知道他当时身上的毛刚被修剪过，天气又很恶劣，他没有得到足够的锻炼，等到真要出去时，他精神气儿鼓得很足，像个气球一样。我们的长官（我是说马夫长）把他的挽具系得特别结实、特别紧，马颔缰，短缰绳，很锋利的马嚼子，还有拴在口衔铁底部的缰绳。而那匹马嘴巴娇嫩、精神很足，这些东西准是弄得他发了狂。"

"很有可能，我来看看他吧。"杰瑞说。

第二天，急性子——那匹马的名字——来到了家里。他是一匹漂亮的褐色马，全身没有一根白毛，个子跟队长一样高，脑袋非常俊秀，只有五岁大。我像个好朋友一样亲切地问候了他，但没有向他提任何问题。第一天夜里他很不安稳。他不肯躺下，不停地扯动拴在环上的牲口套，用脑袋咚咚地撞食槽，害得我也没法睡觉。第二天，拉着出租马车跑了五六个小时后，他安静下来，变得通情达理了。杰瑞拍拍他，跟他说了许多话，他们很快就情投意合了，杰瑞说，只要给他戴上舒服的衔铁，给他足够的活儿干，他就会像绵羊一样温顺。说起来真是因祸得福，那位老爷失去了价值一百个金币的宝贝，这位车把式却得到了一匹精力充沛的好马。

急性子觉得，现在来拉出租马车算是沦落到了底层，所以站在车马队里等生意时总是一脸的不屑，但一个星期后，他向我承认说，嘴巴松快、脑袋舒服使他得到很大的安慰，毕竟，跟脑袋和尾巴都被拴在马鞍上比起来，这份工作并不算丢脸。反正，他很快安下心来，杰瑞非常喜欢他。

第 45 章　杰瑞的新年

对于有些人来说，圣诞节和新年是非常快乐的日子。但是对车把式及其家人来说，虽然也许会是收获的日子，但绝不是节日。数不清的晚会、舞会，各种娱乐场所开放，工作很辛苦，经常很晚才收工。有时，车把式和马得在霜里、雨里等好几个小时，在寒风中瑟瑟发抖，而那些寻欢作乐的人却在里面和着音乐跳舞。不知道那些漂亮的贵妇人有没有想到等在驾驶座上疲倦的赶车人，还有他那匹耐心等候、四条腿都冻得发僵的牲口。

晚上的活儿大多由我干，因为我已经站惯了，杰瑞也怕急性子感冒。圣诞节的那个星期，我们拉了许多晚活儿，杰瑞咳嗽得很厉害。不管多晚，波利总是等他，提着灯笼出来迎接他，一脸的担忧和焦虑。

元旦那天晚上，我们送两位先生去西区广场的一座房子。九点钟把他们送到，他们叫我们十一点再来。"不过，"其中一个说，"我们是开牌局，恐怕要等几分钟，但不要迟到。"

钟敲响十一点时，我们到了房子门口，杰瑞总是很准时的。钟每十五分钟敲响一次，一刻，两刻，三刻，然后敲响了十二点，可是门没有开。

那天白天风向多变,一阵阵狂风夹杂着暴雨,现在下起了寒冷、猛烈的雨夹雪,好像从四面八方肆虐而来。天冷得出奇,我们没有地方躲避。杰瑞离开驾驶座,过来给我把脖子上的盖布裹紧一些,然后他来回跑了两步,使劲地跺脚,又捶打他的胳膊,可是这样一来他又开始咳嗽了。于是他打开车门,坐在车子底部,双脚搁在人行道上,好歹避一避风雪。钟敲响了一遍又一遍,还是没有人出来。十二点半,他摇响门铃,问仆人夜里还要不要用车。

"噢,要用的,肯定要用的,"那人说,"你千万不能走,很快就要散了。"于是杰瑞又坐了下来,他的声音那样嘶哑,我简直听不见他说话。

凌晨一点一刻,门终于开了,那两位先生走了出来。他们一声不吭地钻进马车,告诉杰瑞去哪里,差不多有两英里路。我的腿冻僵了,我以为肯定要摔跤了。两位先生下车了,他们让我们等了那么长时间,却一句抱歉的话也没有,反而为了车费而生气。其实杰瑞从不多要车钱,但也不会少要,他们必须支付那两小时一刻钟等候的钱。对于杰瑞来说,这钱挣得真艰难啊。

我们终于回家了,杰瑞几乎说不出话来,咳嗽得很凶。波利什么也没问,打开房门,提着灯笼给他照路。

"要我做什么吗?"波利问。

"给杰克弄点热的东西,然后给我煮一些燕麦粥。"

他的声音嘶哑、有气无力,他连气都喘不过来了,但还是像平常一样给我擦洗了身子,甚至爬到干草棚上给我搬了些稻草铺床。波利给我端来热腾腾的麦麸糊糊,我吃了觉得舒服多了,然后他们就把门锁上了。

第二天早晨很晚才有人来，而且只是哈利一个人。他给我们打扫卫生，喂我们吃食，清扫了马厩，然后又把稻草搬了进来，就像星期天一样。他很沉默，不吹口哨，也不哼小曲儿。中午他又来了，喂我们吃东西喝水。这次多丽也来了，她在哭，从他们的话里我听出杰瑞病情危重，医生说很难治。两天过去了，家里非常忙乱。我们只见到哈利，有时多丽也来。我想她是为了有人做伴，因为波利一直陪在杰瑞身边，而杰瑞必须保持非常安静。

第三天，哈利在马厩里时，有人敲门，格兰特长官走了进来。

"我不进家门了，孩子，"他说，"但我想知道你爸爸怎么样了。"

"他情况很不好，"哈利说，"糟糕极了。他们说是支气管炎，医生认为好坏就看今晚了。"

"太糟糕了，太糟糕了，"格兰特摇着头说，"我知道上星期就有两个人害这个病死了，一眨眼就要了命。但只要命还没丢，就有希望，你必须振作起来。"

"好的，"哈利很快地说，"医生说爸爸比大多数人更有希望，因为他不喝酒。医生说，昨天温度高得吓人，如果爸爸平常喜欢喝酒，就会像一张纸似的烧成了灰。我相信医生认为爸爸会挺过来的。您说他会吗，格兰特先生？"

长官似乎很为难。

"假如上帝保佑好人一生平安的话，那我相信他能挺过来，孩子。他是我认识的最好的人。我明天一早再过来。"

第二天一早，他又来了。

"怎么样？"他问。

"爸爸好些了，"哈利说，"妈妈相信他能挺过来。"

"谢天谢地！"长官说，"现在你必须让他保暖，别让他操心发愁,这倒使我想起那些马来。最好让杰克在一个温暖的马厩里待一两个星期,你可以牵他在街上走动走动,活动活动腿脚。可是这匹年轻的马,如果不让他干活,他很快就会完蛋,弄得你没法收拾。等他再出门拉车时就会出事。"

"现在就是这样,"哈利说,"我已经给他减少了谷子,但他精神头太旺盛了,我不知道该拿他怎么办。"

"是啊,"格兰特说,"你看这样好不好?你去跟你妈妈说,如果她同意,在没有别的安排之前,我每天过来带这匹马出去干活,挣来的钱一半拿来交给你妈,可以补贴补贴马的饲料。你爸爸入了一个很好的会,我知道,但那也养不起这些马呀,他们这些日子肯定不会少吃。我中午再过来听你妈妈的意见。"他不等哈利感谢就走了。

中午,我猜想他已经见过波利了,因为他和哈利一起进了马厩,给急性子套上挽具领了出去。

就这样一个多星期,他天天来牵急性子,每次哈利感谢他或提起他的帮助时,他总是一笑了之,说这对他来说是交了好运,因为他的马也需要休息,要不是这样他们还休息不成呢。

杰瑞一天天好起来,但医生说如果他想活到老,就绝不能再干出租马车这份活儿了。两个孩子经常凑在一起商量爸爸妈妈会怎么做,商量怎么帮家里挣点钱。

一天下午,急性子回来时满身泥浆。

"街上都是融化的雪,"长官说,"孩子,要把他洗净擦干,可要费你不少力气呢。"

"没关系,长官,"哈利说,"我一定把他弄干净再离开。您知道我是爸爸一手调教出来的。"

"真希望所有的男孩子都得到你这样的调教。"长官说。

哈利正在用海绵擦洗急性子身上和腿上的泥浆，多丽进来了，一副心事重重的样子。

"哈利，谁住在法尔斯托？妈妈收到一封法尔斯托的来信，她好像很高兴，拿着信跑上楼去找爸爸了。"

"你不知道吗？福勒夫人住的地方就叫这个名字呀——就是妈妈原来的女主人，你知道的——爸爸去年夏天碰到的那位夫人，她还给了你和我每人五个先令呢。"

"噢！福勒夫人，对，我知道她。不知道她给妈妈的信上写了什么。"

"妈妈上星期给她写了封信，"哈利说，"你知道福勒夫人曾经对爸爸说，如果他想放弃车马行的工作，就随时告诉她。不知道她会说什么，快跑进去看看，多丽。"

哈利像个老练的马夫一样唰啦唰啦地给急性子擦洗。几分钟后，多丽蹦蹦跳跳地进了马厩。

"啊，哈利，没有比这更美妙的事了。福勒夫人说我们都可以去住在她身边。那儿有一座小屋空着，正好适合我们，有花园和鸡舍，还有苹果树，什么都有！她的马车夫春天就要走了，她希望爸爸能接替他的位置。周围有一些好人家，你可以在花园或马房里找一份工作，或者当个小听差。那里还有一所好学校，我可以去上学。妈妈一会儿哭，一会儿笑，爸爸看上去高兴极了！"

"那可真是天大的喜事，"哈利说，"要我说，没有比这更合适的了。爸爸妈妈都会很称心，但我不想当小听差，穿着紧身衣服，一排排纽扣。我想当马夫或园丁。"

事情很快就定了，等杰瑞身体好些，他们就搬到乡下去，马和车都要尽快卖掉。

这对我来说是个悲哀的消息，我现在不年轻了，不能指望境况有任何改善。我离开波特维后，和亲爱的主人杰瑞在一起的这段日子是最幸福的。可是在车马行里拉了三年活儿，即便是在最好的条件下，也会给体力带来损害，我觉得我的身体大不如以前了。

格兰特立刻说他愿意买下急性子，车马行里有些人想买我，但杰瑞说我不能再随便地跟某人去拉出租马车了，长官答应给我找一个令我称心的地方。

分别的那天到了。杰瑞还不能出来，自从新年之夜后，我就再没有看见过他。波利和孩子们过来跟我告别。"可怜的老杰克！亲爱的老杰克！真希望我们能带你一起走。"波利把手放在我的鬃毛上，脸贴着我的脖子亲了亲我。多丽也哭着亲吻我。哈利不停地抚摸我，但什么也没说，只是显得非常悲伤。然后，我就被带到了新的地方。

Volume Four

第 四 卷

第46章 贾克斯和女士

我被卖给了一位玉米贩子兼面包店老板,杰瑞认识他,认为我跟着他能吃得好,累不着。起先倒是不错,如果主人一直在家,我想我是不会被累坏的,可是家里有个工头,总是催促别人,逼着别人干活。经常是我的车子已经满了,他又吩咐把一些别的东西又堆上来。我的车夫贾克斯经常说我拉不动那么多东西,但工头根本不听。"跑一趟就够了,没必要跑两趟。"他总想把事情提前办好。

贾克斯像别的车夫一样,总是给我系短缰绳,使我不能活动自如,我在那里干了三四个月后,发现体力明显下降了。

有一天,我的车子比平常更重,有一段路是很陡的上坡路。我使出了全身的力气,却怎么也走不上去,只好时不时地停下来休息。车夫很不高兴,用鞭子狠狠地抽我。"快走,你这懒鬼,"他说,"小心我收拾你。"

我又一次拉着沉重的货物,挣扎着往前走了几米,鞭子又落下来了,我硬挺着往前挪。粗大的马车鞭子抽得我身上剧痛难忍,而我心灵所受的伤害同样惨重。我这样尽心尽力地干活,却还受到责骂和惩罚,这令我伤透了心。他第三次残忍地鞭打我时,一位女士快步朝他走来，用甜美而真诚的声音说：

"哦！请别再鞭打你这匹好马了，他肯定是尽力了，路很陡，我相信他已经使出了全身的力气。"

"如果尽力了还不能把货拉上去，那他必须尽更大的力才行，我就知道这点，夫人。"贾克斯说。

"可是货太重了呀！"女士说。

"是啊，是啊，太重了，"贾克斯说，"那不能怪我，我们刚要出发，工头来了，他为了图省事，又给增加了三百英担的重量，我没办法，只能把它运过去。"

他把鞭子又扬起来了，女士说：

"请你住手，如果你不反对的话，我倒是可以帮助你。"

贾克斯大笑起来。

"是这样，"女士说，"你没有给他一个公平的机会。他的脑袋被那根短缰绳扯得往后仰着，使不上劲儿。如果你把缰绳解开，我相信他会做得更好一些——试试吧，"她诚恳地说，"如果你这么做，我会很高兴的。"

"好吧，好吧，"贾克斯笑了一声，说，"只要能让一位女士高兴，没问题。你希望把缰绳放开多少呢，夫人？"

"多放开一些，让他的脑袋完全自由。"

缰绳解开了，我立刻把脑袋埋到膝盖上。多畅快啊！然后我把酸痛僵硬的脖子使劲甩了几下，感觉舒展多了。"可怜的家伙！这真是他想要的啊，"她说着，用温柔的手拍拍我，抚摸我，"现在只要你亲切地对他说话，赶着他往前走，我相信他会比刚才做得好。"

贾克斯拿起缰绳。"走吧，黑子。"我埋下头，把全部的力量都聚集在颈圈上，车子动了，我一鼓作气把它拉上山坡，停下来呼哧呼哧喘气。

女士从小路走上来,这时候来到公路上,抚摸我,轻轻地拍我的脖子,我已经很长时间没有被人爱抚了。

"你看,只要你给他机会,他是很愿意出力的。我相信他是一匹性情温良的牲口,而且我敢说他以前有过很好的日子。你别再给他系那缰绳了,好吗?"因为贾克斯正准备按他的老规矩来系缰绳。

"唉,夫人,我不否认放开他的脑袋才使他爬上了山坡,下次我会记住的,谢谢您,夫人。可是如果不给他系短缰绳,所有的马车夫都会笑话我的。现在时兴这个,您知道。"

"与其跟随一种坏时尚,不如倡导一种好时尚,不是吗?"女士说,"现在许多绅士都不用短缰绳了。给我们拉车的马已经十五年不用短缰绳了,干起活来比那些系短缰绳的马省劲得多。而且,"她用非常严肃的口吻说,"我们没有权力无缘无故地折磨上帝创造的任何一条生命。我们管他们叫哑巴牲口,确实如此,因为他们不能把自己的感觉告诉我们,他们虽然不会说话,但所受的痛苦一点也不少。好了,我不耽误你的时间了。谢谢你在这匹好马身上试了试我的方法,我相信你会发现它比鞭子有效得多。再见。"说完,她又轻轻拍了拍我的脖子,便轻盈地穿过小路,后来我再也没有见过她。

"这是一位真正的淑女啊,我敢发誓,"贾克斯自言自语地说,"她说话那么彬彬有礼,就好像我是一位绅士。我要试试她的方法,至少在上坡的时候。"说句公道话,他把我的缰绳放松了几个眼儿,而且后来每次上坡都把我的脑袋解放出来,可是车上的货物仍然超重。好饲料、充足的休息可以弥补繁重的工作,但是没有一匹马受得了超载的负荷。就是因为这个,我的身体彻底不行了,他们又买了一匹年轻的马代替我。这里我还想提一提,那时候我还忍受着另一种折磨。我以前听别的马说过，但自己从未经历过这种不幸，就是马厩里光线昏暗，只在顶头有一扇很小的窗户，使得整个马厩几乎漆黑一片。

这不仅使我情绪低落，而且削弱了我的视力，每次把我从黑暗中突然牵到大太阳底下，我的眼睛都感到剧痛难忍。有几次我差点被门槛绊倒，几乎看不见前面的路。

如果我在那里待的时间再长一些，我相信我就会变成一个半瞎子，那就太不幸了，因为我听人说宁愿赶一匹全瞎的马，也比赶一匹视力模糊的马安全，因为这种马通常很容易受惊。我总算逃脱出来，视力没有受到永久性的损害，我被卖给了一个大车马行老板。

第 47 章　艰难岁月

我永远忘不了我这位新主人，他黑眼睛，鹰钩鼻，嘴里全是牙，活像一只斗牛犬，他的声音像车轮碾过石子路一样刺耳难听。他名叫尼古拉·斯金纳，我相信可怜的邋遢鬼山姆当时就是替他赶车的。

我听人说，眼见为实，其实应该说只有感觉到了才会相信。我以前也见过不少，但直到现在才真正了解出租马的生活有多么悲惨。

斯金纳有一批下等马车和一批下等车夫，他对车夫很苛刻，车夫对马很凶。在这里，我们星期天得不到休息，而当时正值三伏酷暑。

星期天早晨，经常会有一伙寻欢作乐的人来租马车，四个人坐在车里，一个人坐在车把式身边，我要拉他们去十或十五英里外的乡下，然后再拉回来。上山的时候，不管山多陡、天多热，没有一个人下车自己走——除非，唉，除非车把式担心我爬不上去。有时候我全身燥热，累得像一摊泥，什么也吃不下。我多么怀念夏天的星期六晚上杰瑞给我们准备的美味的麸皮糊糊，里面还拌了芒硝，我们吃了感觉那么凉爽、那么舒服。然后我们连续休息两个晚上和一整个白天，星期一早晨便又像青壮马一样精神抖擞了。而在这里我得不到休息，车把式和他的老板一样心狠手辣。他有一根残酷的皮鞭，头上非常锋利,有时能把皮肉抽出血来,他还抽我肚子下面,抽我的脑袋。这些屈辱使我心灰意冷,但我还是尽力地干活,从不退缩,可怜的生姜说得好,反抗没有用,人是最厉害的。

生活凄惨到了极点,我真希望也像生姜那样干活时倒下来死掉,永远摆脱痛苦,有一天,我的愿望差点就实现了。

我早上八点就出来拉生意,拉了不少活儿,然后又拉客人去火车站。一列长长的火车快要进站了,车把式停在一些别的马车后面,希望能拉到回程的客人。那列火车乘客很多,很快所有的马车都被人雇走了,这时有人召唤我们。一共四个人,一个吵吵嚷嚷、粗声恶气的男人带着一位太太,还有一个小男孩和一个小女孩,带着一大堆行李。太太和男孩进了马车,男人吩咐把行李搬过来,小女孩过来看着我。

"爸爸,"她说,"这匹可怜的马肯定拉不动我们和所有的行李走那么远的路,他这么弱,这么累,您看看他吧。"

"哦!他没问题,小姐,"车把式说,"他结实着呢。"

脚夫推着几个重箱子过来了,他向那位先生建议说,行李这么多,是不是再雇一辆马车。

"你的马到底行不行?"那个粗声恶气的男人说。

"哦!绝对没问题,先生。把箱子搬上来吧,脚夫。比这再多他也拉得动。"他帮着把一只箱子搬上来,那箱子太重了,我感到弹簧陡地往下一沉。

"爸爸,爸爸,再叫一辆车吧,"小姑娘请求道,"我们这么做肯定不对,肯定是太残酷了。"

"胡说,格雷丝,快上车,别这么大惊小怪。如果一个生意人每雇一匹马都必须检查一番,那怎么行——那个人当然懂得自己的本行。好了,快进来闭上你的嘴吧。"

我温柔的小朋友只好听她爸爸的话。箱子一只接一只地搬上来，堆在车顶上或放在车把式身边。终于一切就绪，车把式像平常那样一扯缰绳，一挥鞭子，赶车出了车站。

车子真重啊，而我从早上到现在没吃东西，也没捞到休息。虽然别人对我残酷和不公正，但我还是尽着自己最大的力量，因为我一贯都是这么做的。

一直到路盖特山，我走得还算顺利，但车子太重，我实在精疲力尽，挣扎着往前走，车把式不停地拉缰绳、挥鞭子，催我快走，突然——我也不知是怎么回事——我脚下一滑，重重地侧身摔倒在地。我摔得太狠、太猛，似乎身体里的劲儿一下子全部跑光了。我一动不动地躺在那儿。我没有力气动弹，以为自己就要死了。我听见周围一片混乱，有人在愤怒地大叫，有人在把行李搬下来，但一切都像是在梦中。我仿佛听见那个甜美的、充满同情的声音在说："哦！可怜的马！都怪我们！"有人过来松开我脖子上的皮带，解开紧紧勒住颈圈的缰绳。有人说："他死了，再也起不来了。"然后我听见一位警察在下命令，但我连眼睛也睁不开，只能时不时费力地喘一口粗气。有人往我脑袋上浇了些冷水，往我嘴里倒了些提神剂，又给我身上盖了些东西。我不知道自己在那里躺了多久，但我发现生命又渐渐地回来了，一个柔声细语的男人在拍我，鼓励我站起来。我又喝了一些提神剂，挣扎着试了一两次，跟跟跄跄地站了起来，然后被慢慢地牵到近旁的一个马厩里。我被安置在一间褥草垫得很厚实的隔栏里，又有人端来热乎乎的稀粥，我非常感激地把它喝了。

晚上，我恢复得差不多了，又被牵回斯金纳的马厩，他们倒是想方设法地照顾我。第二天早上，斯金纳给我带来一位马医。马医仔细给我做了检查，说："没有什么病，就是劳累过度，只要让他休养六个月，就又能干活了。他现在是一点点力气也没有了。"

"那就让他完蛋吧，"斯金纳说，"我没有牧场来养病马——他好就好，不好就拉倒。那一类事情我可没心思去管。我的计划是，他们只要能走得动，就让他们干活，然后卖掉他们换钱，卖给屠宰场或别的什么地方。"

"如果他患了哮喘，"马医说，"你最好立刻把他结果掉，但他不是哮喘。大约十天之后有一个马匹拍卖会，你让他好好休息，多吃点好的，他的体力会恢复的，你可以得到不止一张马皮的钱。"

斯金纳听了这个建议，命令手下人好好喂我、照料我，在我看来他这么做是很不情愿的。幸好，马夫怀着比主人更多的善心执行了他的命令。十天彻底的休息，充足的上好燕麦、干草、麸皮糊糊，里面还混有煮熟的亚麻籽，对我的身体好转大有帮助。加了亚麻籽的糊糊好吃极了，我又开始感到毕竟还是活着比死了好。事故发生后的第十二天，我被牵到伦敦郊外几英里的拍卖会上。我觉得只要能离开目前的地方，情况只会好不会差，所以我昂起脑袋，充满信心地等待着。

第48章　庄园主萨洛古德和他的孙子威利

不用说，在这次拍卖会上，我发现跟我在一起的都是些老弱病残的马——有的瘸了腿，有的害了哮喘，有的太老，有的依我看最好发发慈悲一枪打死。

那些买主和卖主呢，许多人比他们买卖的可怜牲口好不了多少。有一个可怜的老头子想花几英镑买一匹马或矮脚马，拖点木柴，拉拉煤车。还有一些穷人想用一匹年老力衰的马换得两三英镑，因为把牲口杀死损失更大。贫穷和苦日子似乎使有些人的心肠也变硬了，但也有些人我愿意用我最后一点力气为他们效力，他们没有钱，衣衫褴褛，但是心地善良，有人性，他们的声音一听就值得信赖。有一个步履蹒跚的老人非常喜欢我，我也喜欢他，但我不够强壮——那一刻真让人着急！拍卖会进行了一大半，我注意到一个像是乡绅的男人，旁边跟着一个小男孩。那男人肩宽体厚，一张红彤彤的慈祥的脸，戴一顶阔檐帽。他向我和我的同伴们走来，站定了用怜悯的目光打量我们。我看见他的目光落在我身上。我仍然拥有漂亮的鬃毛和尾巴，这使我的相貌增色不少。我竖起耳朵望着他。

"威利，这匹马曾经有过得意的时候。"

"可怜的家伙！"男孩说，"爷爷，您说他以前拉过马车吗？"

"哦，拉过的，孩子。"乡绅说着又走近了一些，"他年轻时候可了不得，你看他的鼻孔和耳朵，还有他脖子和肩膀的形状。这匹马的出身不同凡响啊。"他伸手亲切地拍了拍我的脖子。我探出鼻子感谢他的好意，男孩抚摸着我的脸。

"可怜的家伙！看，爷爷，他是多么通人性啊。您能不能把他买回去，让他重新变得年轻，就像瓢虫一样呢？"

"亲爱的孩子，我不可能把所有的老马都变年轻啊。而且，瓢虫并不太老，她只是被使唤得太狠，力气耗尽了。"

"是啊，爷爷，我相信这匹马也不老，您看看他的鬃毛和尾巴。我希望您检查一下他的嘴巴，这样您就知道了。他虽然瘦成这样，但眼睛并没像有些老马一样凹陷下去。"

老乡绅笑了起来。"这孩子！他简直和他老爷爷一样，也是个懂马的行家呢。"

"您看看他的嘴吧，爷爷，再问问价钱，我相信他在咱们的牧场上会变年轻的。"

带我来拍卖的那个人插话了。

"这位小绅士真懂行啊，先生。事实上，这匹马是在车马行里被生生累垮了。他不是一匹老马，我听兽医说，他没有害上哮喘，只要休养六个月就能强壮起来。这几天来一直是我在照料他，我从没见过比他更讨人喜欢的牲口，他值得某位先生为他花五英镑，给他一次机会。我敢说到明年春天他就值二十镑了。"

老乡绅大笑起来，小男孩眼巴巴地抬头望着。

"哦，爷爷，您不是说您没想到那匹小马驹多卖了五英镑吗？您把这匹马买下，也不算吃亏呀。"

乡绅慢慢摸了摸我的腿，那里肌肉僵硬、肿得厉害，他又看了看我的嘴。"十三四岁，能让他跑一跑吗？"

我弓起我可怜的瘦脖子，微微翘起尾巴，尽量甩开四条腿——它们僵硬得厉害。

"你最低多少钱卖他？"我回来时，乡绅问道。

"五英镑，先生。这是我们老板定的最低价钱。"

"投机买卖，"老乡绅说着，摇了摇头，但同时慢慢掏出了钱包，"真是投机买卖！你在这里还有事情吗？"他数出一个个金币交给那人。

"没有了，先生，如果您愿意，我替您把他牵到客栈去吧。"

"好吧，我这就往那儿去。"

他们牵着我往前走。男孩简直无法控制喜悦的心情，老绅士似乎也为他的欢乐而欣喜。我在客栈里饱饱吃了一顿，然后我新主人的仆人温和地把我骑回家，进了一个大牧场，牧场的一角有个牲口棚。

我的恩人叫萨洛古德先生，他吩咐每天早晚给我吃干草和燕麦，白天让我在牧场上自由出入，还有，"威利，"他说，"你必须好好照管他，我把他交给你了。"

男孩很自豪，一本正经地履行职责。他每天都来看我，有时候从马群里把我挑出来，给我一个胡萝卜或其他好吃的东西，有时候站在我身边看我吃燕麦。他每次都拥抱我，跟我亲热地说话，我当然也就非常喜欢他了。他管我叫老朋友，因为我总是在牧场上跟着他跑来跑去。有时候他把爷爷叫来，老先生每次都仔细端详我的腿。

"这是我们最关心的，威利，"他说，"但是他在逐渐恢复，我想到了春天我们就会看到转机。"充分的休息、良好的食物、柔软的草地和适度的锻炼，很快就使我的身体和心情好转起来。我从母亲那里继承了好的体质,小时候没有劳累过,所以,比起许多没成年就开始干活的马来,我更有希望恢复健康。冬天,我的腿好多了,我开始觉得自己又变得年轻了。春天来了,五月的一天,萨洛古德先生决定让我试着拉拉敞篷车。我非常高兴,他和威利赶着我走了几英里。我的腿不再僵硬,拉起车来轻松自如。

"他变年轻了,威利。现在我们必须让他干点儿轻巧的活儿,到了夏天,他就会像瓢虫一样健壮了。他的嘴很漂亮,步态优美,真是再好也没有了。"

"哦,爷爷,我真高兴您把他买下来了。"

"我也很高兴,孩子,但他更应该感谢的是你。我们现在得给他找一个安静、有教养并且能珍惜他的地方了。"

第 49 章 我最后的家

夏季里的一天,马夫格外仔细地给我擦洗、打扮,我猜想肯定要有新的变化了。他修整了我的距毛和腿,用焦油毛刷掸我的蹄子,甚至把我的额发分了缝儿。我发现挽具好像也专门擦过了。威利似乎又高兴又着急,跟爷爷一起坐进了轻马车。

"如果那些女士喜欢他,"老乡绅说,"她们就合适了,他也合适了。我们试一试吧。"

我们来到离村子一两英里的一座漂亮、低矮的房屋,前面有草坪和灌木,还有一条车道通向门口。威利拉响了门铃,问布鲁姆·菲尔德小姐和艾伦小姐在不在家。是的,她们在家。于是威利陪我留在外面,萨洛古德先生进去了。大约十分钟后他回来了,后面跟着三位女士。一个身材修长,脸色苍白,裹着一条白色的披肩,倚靠在一位年轻姑娘身上,那姑娘眼睛乌黑,神情很快乐,还有一位女士仪态庄重,就是布鲁姆·菲尔德小姐。她们都过来看着我,提出各种问题。年轻姑娘——艾伦小姐——非常喜欢我,她说我的脸那么好看,她相信喜欢我不会有错。那个身材修长、脸色苍白的女士说,坐在一匹曾摔过跤的马后面她会感到紧张,生怕我还会再摔,如果真的再摔一下,她恐怕永远摆脱不了这种恐惧了。

"你们知道,女士们,"萨洛古德先生说,"许多一流的马是因为赶车人不当心才摔坏了膝盖,他们自己一点错也没有,就我看来,这匹马就是这样的情况。当然啦,我不希望把我的意见强加给你们。如果你们愿意,可以让他试试,你们的车夫会对他做出评价的。"

"您总是对我们的马提出很好的忠告,"那位仪态庄重的女士说,"我会充分考虑您的建议,如果我姐姐拉维尼娅不反对,我们会听您的意见试一试的,非常感谢。"

于是安排我第二天过来。

第二天早晨,一个长得很精神的小伙子过来接我。他起先很高兴,但一看到我的膝盖,就用失望的声音说:

"先生,我没想到您会向我家小姐们推荐这样一匹有缺陷的马。"

"行为漂亮才是真的漂亮,"我的主人说,"你只是带他去试试,我相信你会公正地对待他的,年轻人。如果他不如别的马那么稳当,你只管把他再送回来。"

我被领到我的新家,安置在一间舒服的马厩里,吃饱了,独自待着。第二天,马夫擦洗我的脸时,突然说道:

"这真像以前'黑骊'的那颗星星,个头也差不多高。不知道他如今在什么地方。"

过了一会儿,他擦洗到我脖子上那次放血留下一个小疤的地方。他简直惊呆了,开始上上下下地打量我,嘴里喃喃自语。

"脑门上的白星星,一只右脚是白的,还有这个小疤,就在这个地方,"他又看着我的后背中间,"没错,这一小撮白毛,约翰总是管它叫'黑骊的三便士银币'。一定是黑骊!啊,黑骊!黑骊!你认识我吗？——我就是那个差点害死你的小马夫乔·格林啊！"他不停地拍我，拍了又拍，一副欣喜若狂的样子。

其实我已经不太记得他了，他出落成了一个相貌堂堂的年轻人，留着黑胡子，说起话来也是男子汉的声音了，但我相信他认识我，相信他就是乔·格林，我心里非常高兴。我把鼻子凑向他，想告诉他我们是朋友。我从没见过像他这么开心的人。

"公正地对待你！我当然要这么做！不知道哪个混蛋弄断了你的膝盖，我可怜的黑骊！你肯定在什么地方受够了苦。好了，好了，如果你从现在起还过得不好，就不能怪我了。真希望约翰·曼利能在这里看见你。"

下午，我被套上一辆低矮的游园轿子，来到门口。艾伦小姐要来试我，格林陪着她。我很快就发现艾伦小姐是个很优秀的赶车人，她似乎对我的步子很满意。我听见乔跟她说了我的事情，乔说他相信我就是原来戈登老爷家的"黑骊"。

我们回来时，两个姐妹出来探听我的表现。艾伦小姐把刚才听到的故事告诉了她们，并说：

"我一定要写信给戈登夫人，说她心爱的马到我们家来了。她知道了该有多高兴啊！"

此后的一两个星期，我每天都出去拉车，由于我表现得非常稳当，拉维尼娅小姐终于鼓起勇气，坐我拉的封闭式小车出门了。后来她们便决定留下我，并用我原来的名字叫我"黑骊"。

我在这个快乐的地方生活了整整一年。乔是最优秀、最仁慈的马夫。我的工作轻巧而愉快，我觉得自己的体力和精神都在恢复。那天萨洛古德先生对乔说：

"他在你这儿能活到二十岁——兴许还不止呢。"

威利一有可能就跟我说话，把我当成他特殊的朋友。我的女主人们保证永远不把我卖掉，所以我没有什么可担忧的。我的故事到这里就讲完了。我的磨难结束了，我又有了家。我在半梦半醒时，经常会幻想我仍然在波特维的果园里，和我的老朋友们一起站在苹果树下。